Y0-BYZ-243

Spanish Translations

Access for Students Acquiring English

Creating America

A History of the United States

1877 to the 21st Century

McDougal Littell

Evanston, Illinois • Boston • Dallas

900
M134c
8
Resource3
Curr. Coll.

Copyright © by McDougal Littell, a division of Houghton Mifflin Company. All rights reserved.

Permission is hereby granted to teachers to reprint or photocopy in classroom quantities the pages or sheets in this work that carry a McDougal Littell copyright notice. These pages are designed to be reproduced by teachers for use in their classes with accompanying McDougal Littell material, provided each copy made shows the copyright notice. Such copies may not be sold, and further distribution is expressly prohibited. Except as authorized above, prior written permission must be obtained from McDougal Littell, Inc. to reproduce or transmit this work or portions thereof in any other form or by any other electronic or mechanical means, including any information storage or retrieval system, unless expressly permitted by federal copyright law. Address inquiries to Manager, Rights and Permissions, McDougal Littell Inc., P.O. Box 1667, Evanston, IL 60204.

Printed in the United States of America

ISBN 0-618-30075-9

2 3 4 5 6 7 8 9 - DWI - 08 07 06 05 04 03

Contents

UNIT 1 Colonization and the Early Republic, Beginnings to 1877

UNIT 2 America Transformed, 1860–1914

UNIT 3 Modern America Emerges, 1880–1920

Chapter 8 The Progressive Era, 1890–1920

Chapter 9 Becoming a World Power, 1880–1917

Chapter 10 World War I, 1914–1920

UNIT 4 Depression, War, and Recovery, 1919–1960

Chapter 11 The Roaring Twenties, 1919–1929

Chapter 12 The Great Depression and New Deal, 1929–1940

Chapter 13 The Rise of Dictators and World War II, 1931–1945

Chapter 14 The Cold War and the American Dream, 1945–1960

UNIT 5 Tensions at Home and Abroad, 1954–Present

Strategies for Teaching Students Acquiring English

Creating America: A History of the United States *provides diversified support to help you address the needs of students who are acquiring English, especially Spanish-language students. The following introduction outlines some of the Spanish-language resources that are available in the program. In addition, the teaching strategies described on the following pages can be used selectively when students acquiring English are experiencing difficulty in understanding the material in* Creating America: A History of the United States *or in expressing their ideas orally or in writing.*

Program Resources for Spanish-Language Students

Resources available for students whose dominant language is Spanish include Spanish translations of select program components in *Creating America: A History of the United States.* Some of these materials will help those students in their general comprehension of the text; other materials allow such students to practice or apply social studies skills and concepts. Whether they use these resources in English or Spanish, students are expected to respond in English. Components in Spanish are not meant to replace but to support and facilitate English-language activities.

Here is a summary of Spanish-language materials available in the program:

Student Edition

- **Spanish Glossary:** This glossary, at the back of *Creating America: A History of the United States,* defines key terms for each chapter. These terms appear in boldface at the beginning of each chapter section. The glossary ensures that Spanish-language students understand key terms to aid them in their overall comprehension of the chapter.

Print Ancillary Materials: *Access for Students Acquiring English*

This book includes the following components translated into Spanish:

- **Reading Study Guides:** This ancillary provides chapter summaries at a lower reading level and reading support for students acquiring English.
- **Guided Reading:** As students read *Creating America: A History of the United States,* these one-page worksheets help them take notes that summarize, identify cause and effect, compare and contrast, and trace chronological order.
- **Skillbuilder Practice:** These one-page worksheets give students practice applying the specific social studies skills taught in the Skillbuilder Handbook at the back of *Creating America: A History of the United States.*
- **Geography Application:** These two-page worksheets help students practice geography skills. They typically feature a reading passage and a related graphic (usually a map) that students are asked to interpret.

Note that ancillary materials in Spanish do not contain an answer key. Since students are expected to reply in English, answers may be found in the English-language *In-Depth Resources* ancillary book for each unit.

Multimedia Ancillary Materials

- **Primary Source Explorer CD-ROM:** This CD-ROM provides an interactive experience in which students think critically about a primary source, learn about the issues of the time period, and understand historical effects of the document.
- **Chapter Summaries (on a CD in Spanish):** The CD contains chapter summaries in an audio version.

Teacher's Edition

The Teacher's Edition for *Creating America: A History of the United States* also offers valuable features for customizing instruction for Spanish-language students who are acquiring English.

- The two-page Planning Guide that opens each chapter lists key resources for use with students acquiring English. They appear in the section "Customizing for Individual Needs" under the heading "Students Acquiring English/ESL." Other useful materials appear under the heading "Less Proficient Readers." Consult these resource lists as you plan your lessons.
- In addition, the numerous teaching suggestions offered in the Teacher's Guide (along with the many activities that supplement them in the text) are well suited for use with Spanish-speaking students. They help you to develop material in the textbook and thus enhance students' understanding. Particularly recommended are the point-of-use suggestions at the bottom of the reduced student edition pages. For example, with students who are having difficulty reading in English, use the suggestions entitled "Less Proficient Readers."

Strategies for Establishing Meaning

It is important to note that while the focus in this section is on Spanish-speaking students, the techniques outlined here may be used effectively with students of any language background.

1. **Preview the chapter thoroughly.** Because new information can be most effectively integrated and applied when students have a concrete frame of reference, previewing is an essential technique for aiding Spanish-language students.

Each chapter in *Creating America: A History of the United States* begins with a three-page opener that allows you to help students familiarize themselves with essential terms and names, as well as situate events in time. Exploiting these pages fully through class discussion can do much to clarify text material for students.

Summaries of chapters in the Reading Study Guide for *Creating America: A History of the United States* provide students with a context for making sense of what they read. These summaries are written in relatively basic language and give students a framework for approaching the more complex material in the text. Spanish-language summaries are available in audio versions on CD.

2. **Encourage the use of graphic organizers to help students link and summarize key points.** Graphic organizers (charts, diagrams, etc.) are particularly useful for Spanish-language students. Such graphics help them grasp ideas visually and synthesize learning. When students complete or prepare graphic organizers themselves, they are actually analyzing key concepts. Such tasks help them practice key vocabulary and formulate ideas in their own words, without the necessity of writing complete sentences.

Graphic Organizers in *Creating America: A History of the United States*		
Component	**Description**	**Location**
• Setting the Stage	• Students use a graphic organizer to explore a social studies skill and take notes as they read.	• On the Setting the Stage page for each student edition chapter • In English in the *In-Depth Resources* books • In the Critical Thinking Transparencies
• Section Assessment	• Students complete graphic organizers to summarize key concepts in a chapter section.	• In the student edition at end of each section
• Guided Reading	• These worksheets contain graphic organizers that students can use for organizing information and for review. There is one for each chapter section.	• In Spanish in this book • In English in the *In-Depth Resources* books
• Skillbuilder Practice	• The graphic organizers on these worksheets require students to apply social studies thinking skills. There is one for each chapter.	• In Spanish in this book • In English in the *In-Depth Resources* books

3. **Have students situate the locale of events.** Maps are an integral feature of *Creating America: A History of the United States,* and the ability to situate the location where events took place is an essential skill for historical understanding. As students read, direct their attention to the maps in the textbook and suggest that they study them to pinpoint where key events occurred. Modeling this strategy for students will help them appreciate the value of the visual dimension in the learning process—a particularly important modality for students acquiring English.

Map Activities in *Creating America: A History of the United States*		
Component	**Description**	**Location**
• Geography Skillbuilder questions	• These questions help students focus on the key features of each map.	• In the student edition
• Geography Application	• Each two-page worksheet contains a reading passage, a graphic (map, chart, or graph) for students to interpret, along with related questions. There is one for each chapter.	• In Spanish in this book • In English in the *In-Depth Resources* books
• Outline Maps	• Each two-page worksheet requires students to place labels and topographical features on a map and then answer questions about the map.	• In the *Outline Map Activities* book

4. **Link concepts with students' prior knowledge and experience.** Making meaningful connections to their own lives helps all students assimilate and retain material. As students acquiring English read each chapter, encourage them to share information about their home countries. For example, ask students to discuss events that occurred in their home countries at the same time as those in the chapters.

5. **Use primary sources to help students personalize information.** The inclusion of primary source materials—a guiding feature of *Creating America: A History of the United States*—gives students an insight into the personal dimension of historical events and issues. The primary sources that are integral to *Creating America: A History of the United States* include the numerous quotations from participants in historical events. In addition, each *In-Depth Resources* book contains primary sources and literature selections related to each chapter.

   Encourage students to compare their experiences with those of the people profiled in the text. Ask them to project how they might feel if they experienced similar events. Their understanding of historical issues will be enhanced by this personalized approach.

6. **Monitor comprehension.** To make sure that students understand what they are reading, ask them at frequent intervals to summarize what they have just read—orally or in writing. The Section Assessments and the Reading History questions occurring in the margins throughout the student edition offer other opportunities for this kind of informal assessment. In the Teacher's Edition, the sections titled "Less Proficient Readers" found at the bottom of some pages also offer helpful suggestions. Section Quizzes in copymaster form are available in the *Formal Assessment* book.

Strategies for Successful Group Work

Group projects are particularly suited for students acquiring English, since all students can participate in them—whatever their level of language proficiency (e.g., drawing, music, theater, journalism). Moreover, the interaction among students and teachers helps learners understand and internalize new information. Students with expert language proficiency can serve as resources and models for Spanish-language students, while Spanish-speakers can contribute an important fund of experience to their classmates. As often as possible, group together students at different language proficiency levels to take advantage of this mutually productive interaction.

Other than the activities in the program specifically designed for group work, many of the activities in the student edition and ancillaries can be performed cooperatively by students—either in pairs or in small groups. This approach should be taken frequently with students acquiring English, so that they can learn from those who are more proficient in the language or possess a stronger social studies background.

To ensure the success of group work, students need to master certain skills. Here are some basic guidelines:

- Students should receive training in how to work in groups.
- Groups should be composed of students at different levels of language proficiency and social studies skills.
- Groups should be small—with about three to five students.
- Students need to be assigned clear and specific roles within the group.
- The teacher should be able to assess the work produced both by the group and by individuals within the group.

Recurring features in *Creating America: A History of the United States* that call for group work include the following:

- The **History Workshop** for each unit in the student edition provides such engaging, "hands-on" group projects as creating a Liberty pole or making explorers' field notes.
- In the **Alternative Assessment** for each chapter in the student edition, many of the suggested activities (such as planning a museum exhibit or planning a political rally) involve cooperation within a group.
- At the bottom of some Teacher's Edition pages, a **Cooperative Activity** section related to the content of a chapter is suggested: for example, drawing a political cartoon or researching and narrating local history.
- **Role-playing** is an effective way for students to work together to reconstruct historical events and understand history from different points of view. Both the student edition and the Teacher's Edition offer numerous suggestions for role plays that can be supplemented by others, depending on the interests of the class.

Creating America: A History of the United States thus provides significant textual, visual, and audio support for Spanish-language students and many suggestions and opportunities for other students acquiring English. Taking advantage of these components will help all your students become full participants in the study of U.S. History.

Recommended Bibliography

Banks, J., C. Cortés, G. Gay, R. García, and A. Ochoa. *Curriculum Guidelines for Multicultural Education.* Washington, DC: National Council for the Social Studies, 1991.

Cummins, J. "Empowering Minority Students: A Framework for Intervention." *Harvard Education Review* 56 (1986): 18–36.

Lucas, T., R. Henze, and R. Donate. "Promoting the Success of Latino Language-minority Students: An Exploratory Study of Six High Schools." *Harvard Education Review* 41 (1990): 268–282.

McLaughlin, B., and B. McLeod. "Final Report of the National Center for Research on Cultural Diversity and Second Language Learning." University of California, Santa Cruz, 1996.

Parla, JoAnn. "Educating Teachers for Cultural and Linguistic Diversity: A Model for All Teachers." *New York State Association for Bilingual Education Journal* 9 (1994): 1–6.

Chapter and Section Titles in Spanish and English

Capítulo 1 De la Colonización a la Revolución, comienzos a 1783
1. Encuentro de tres mundos
2. Las colonias inglesas
3. La Guerra de Independencia de las Trece Colonias norteamericanas

Capítulo 2 De la Confederación a la Constitución, 1776 a 1791
1. La creación de la Constitución
2. La ratificación de la Constitución

Manual de la Constitución
Preámbulo y Artículo 1
Artículos 2 y 3
Artículos 4 a 7
Las Enmiendas

Capítulo 3 El crecimiento de una joven nación, 1789 a 1853
1. Los comienzos de la República
2. Jackson y la reforma
3. Destino manifiesto

Capítulo 4 La unión en peligra, 1850 a 1877
1. La nación se divide
2. La Guerra Civil
3. La Reconstrucción

Capítulo 5 Desarrollo en el oeste, 1860 a 1900
1. Mineros, hacendados y vaqueros
2. Los amerindios luchan por sobrevivir
3. La vida en el oeste
4. La agricultura y el populismo

Capítulo 6 La sociedad industrial, 1860 a 1914
1. El crecimiento de la industria
2. Los ferrocarriles transforman la nación
3. El ascenso de las grandes empresas
4. Los trabajadores se organizan

Capítulo 7 Cambios en la vida estadounidense, 1880 a 1914
1. Las ciudades crecen y cambian
2. Los nuevos inmigrantes
3. Segregación y discriminación
4. Sociedad y cultura de masas

Capítulo 8 La era progresista, 1890 a 1920
1. Roosevelt y el progresismo
2. Taft y Wilson como progresistas
3. Las mujeres ganan nuevos derechos

Capítulo 9 Convertirse en poder mundial, 1880 a 1917
1. Estados Unidos sigue expandiéndose
2. La guerra entre Estados Unidos y España
3. Envolvimiento de Estados Unidos en ultramar

Chapter 1 Colonization to Revolution, Beginnings to 1783
1. Three Worlds Meet
2. The English Colonies
3. The American Revolution

Chapter 2 Confederation to Constitution, 1776–1791
1. Creating the Constitution
2. Ratifying the Constitution

The Constitution Handbook
Preamble and Article 1
Articles 2 and 3
Articles 4–7
The Amendments

Chapter 3 The Growth of a Young Nation, 1789–1853
1. The Early Republic
2. Jackson and Reform
3. Manifest Destiny

Chapter 4 The Union in Peril, 1850–1877
1. The Nation Breaking Apart
2. The Civil War
3. Reconstruction

Chapter 5 Growth in the West, 1860–1900
1. Miners, Ranchers, and Cowhands
2. Native Americans Fight to Survive
3. Life in the West
4. Farming and Populism

Chapter 6 An Industrial Society, 1860–1914
1. The Growth of Industry
2. Railroads Transform the Nation
3. The Rise of Big Business
4. Workers Organize

Chapter 7 Changes in American Life, 1880–1914
1. Cities Grow and Change
2. The New Immigrants
3. Segregation and Discrimination
4. Society and Mass Culture

Chapter 8 The Progressive Era, 1890–1920
1. Roosevelt and Progressivism
2. Taft and Wilson as Progressives
3. Women Win New Rights

Chapter 9 Becoming a World Power, 1880–1917
1. The United States Continues to Expand
2. The Spanish-American War
3. U.S. Involvement Overseas

Nombre ______________________ Fecha ______________

Lectura guiada

A. Tomar notas Mientras lees sobre la colonización europea de América a partir de 1492, anota brevemente el significado de los términos incluidos en esta tabla.

Términos	Significado
Cristóbal Colón	
conquistadores	
Intercambio Colombino	
esclavitud	

B. Encontrar las ideas principales En la parte de atrás de esta hoja, escribe algo significativo que hayas aprendido sobre cada una de las siguientes áreas antes de 1492.

África Occidental   Europa   América del Norte

Copyright © McDougal Littell Inc.

Nombre ______________________ Fecha ______________

Lectura guiada

A. Categorizar Mientras lees sobre los asentamientos en las colonias inglesas de América del Norte, usa el siguiente diagrama para tomar notas sobre los motivos por los cuales se establecieron las siguientes colonias.

Colonia	Motivo por el que fue establecida
Jamestown	
Plymouth	
Pennsylvania	
Maryland	
Georgia	

B. Analizar las causas En el siguiente diagrama, explica de qué manera cada uno de los términos incluidos en los círculos ovalados exteriores fueron las raíces del gobierno representativo en las colonias.

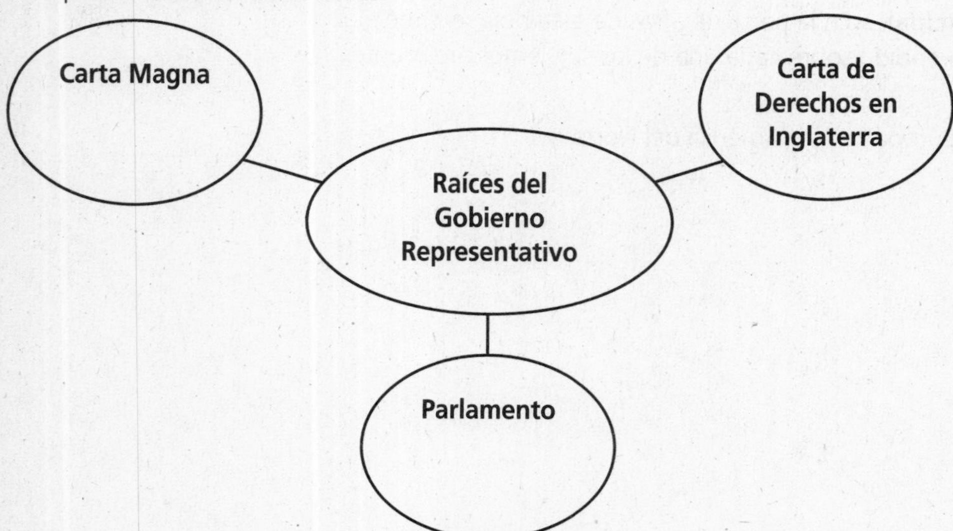

C. Reconocer los efectos En la parte de atrás de esta hoja escribe un párrafo breve explicando las consecuencias de la Guerra entre Francia e Inglaterra por el control del Valle del Río Ohio (llamada también, Guerra contra los franceses y los "indios").

Copyright © McDougal Littell Inc.

Nombre ______________________ Fecha ______________________

Lectura guiada

A. Reconocer los efectos Mientras lees sobre los acontecimientos que produjeron la Guerra de Independencia de las trece colonias norteamericanas (llamada también Guerra Revolucionaria), escribe cada una de las leyes promulgadas por el gobierno británico y la reacción de los colonos.

Leyes	Reacción de los colonos

B. Hacer inferencias En la parte de atrás de esta hoja escribe un párrafo explicando qué ventajas y desventajas tenían los Patriotas en su lucha por la Independencia.

Copyright © McDougal Littell Inc.

Nombre ______________________ Fecha ______________

Lectura guiada

A. Hallar ideas principales Mientras lees la Declaración de Independencia, completa el siguiente diagrama con los puntos clave de las partes principales del documento

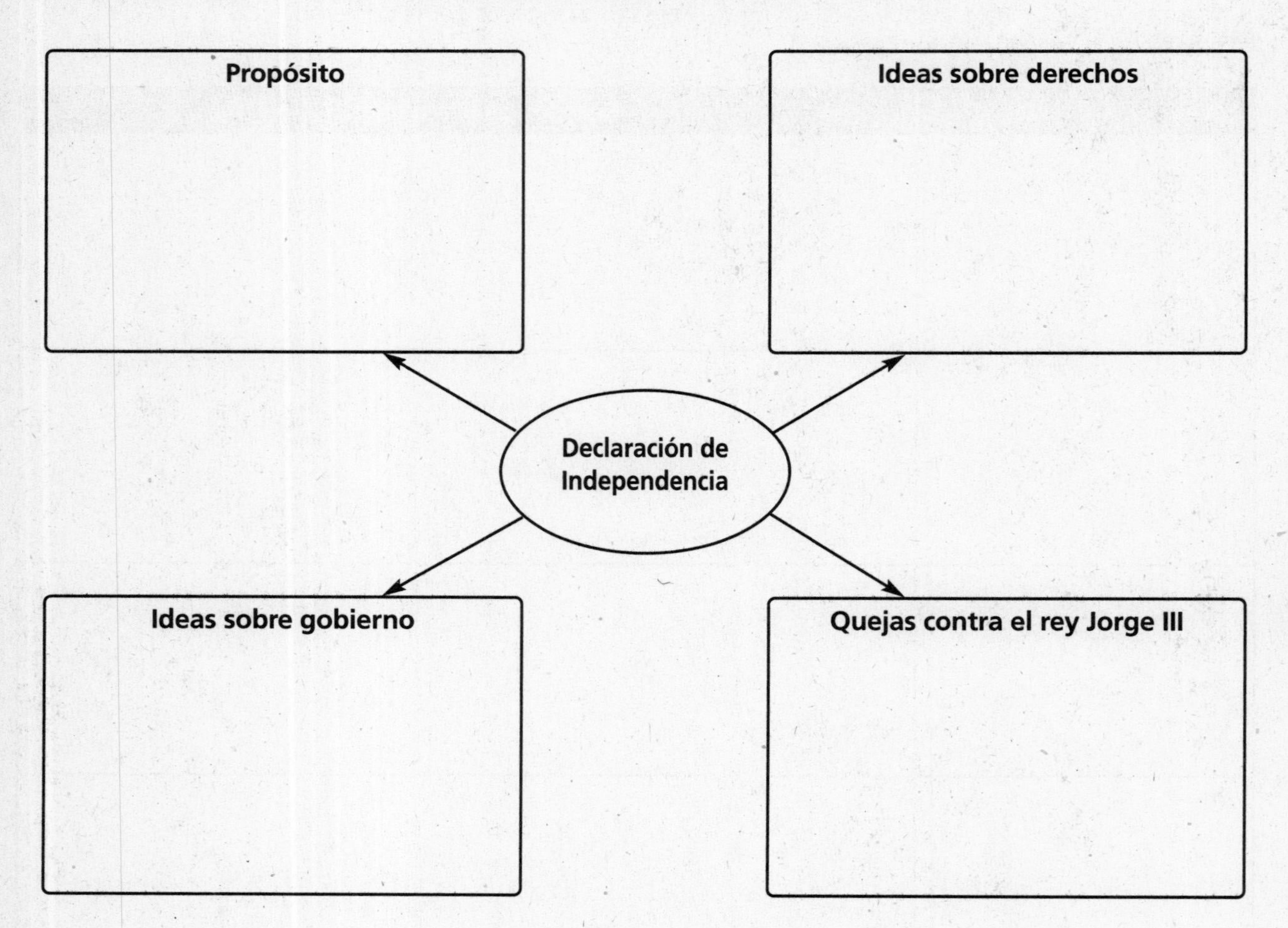

B. Evaluar Repasa las quejas contra el rey Jorge III que has enumerado en la casilla de arriba. Usando una escala numerada, clasifica las quejas de la más importante a la menos importante. Registra tus números en la casilla.

C. Formar opiniones y apoyarlas ¿Qué parte de la Declaración crees que es la más significativa en nuestros días? Explica por qué en el reverso de esta hoja.

Copyright © McDougal Littell Inc.

Nombre ______________________ Fecha ______________

Desarrollo de destrezas: Práctica

Uso de las fuentes secundarias

El pasaje que aparece a continuación trata del período misisipiano de la historia amerindia. Es un ejemplo de una ***fuente secundaria****, un libro o artículo escrito después de que un hecho histórico ha tenido lugar. Lee el pasaje que aparece a continuación, y observa cómo el escritor saca conclusiones sobre los constructores de túmulos. Luego responde a las preguntas que siguen. (Ver Manual de desarrollo de destrezas, página R21.)*

Sabemos bastante acerca de algunos constructores de túmulos a causa de un granjero del siglo XIX llamado M. C. Hopewell. Hopewell encontró treinta túmulos en su granja de Ohio. Hizo que unos arqueólogos excavaran cuidadosamente dentro de ellos. Los arqueólogos son científicos, expertos excavadores. Ellos pueden contar un montón de cosas del pasado a partir de vasijas, huesos y cosas sueltas. Los historiadores estarían perdidos sin los arqueólogos.

En la granja Hopewell los arqueólogos encontraron más que sólo vasijas y huesos antiguos. Encontraron cobre, perlas, conchas marinas, mica, esteatita y obsidiana. Encontraron dientes de tiburones y dientes de osos grises. La mayoría de esas cosas venían de muy lejos: las conchas marinas, del océano Atlántico; la obsidiana, del lejano oeste; el cobre, de las minas que están cerca del lago Superior. Así que sabemos que los constructores de túmulos eran grandes comerciantes; creemos que usaban un sistema de relevos para traer y llevar mercancías desde y hacia lugares distantes.

tomado de Joy Hakim, *The First Americans*, New York, Oxford University Press, 1993, pp. 44–45.

1. ¿Quién descubrió los túmulos de Ohio?

____

2. ¿Cuáles son algunos de los artefactos hallados en esos túmulos?

____

____

3. Basándote en lo que has leído, ¿cuál es tu conclusión básica acerca de estos artefactos?

____

____

4. ¿Qué conclusiones generales puedes sacar acerca de quiénes eran los constructores de túmulos y cómo obtenían estos artículos?

____

____

____

Copyright © McDougal Littell Inc.

Aplicación geográfica

Cornwallis es atrapado en Yorktown, 1781

Para 1781 las tropas del general Cornwallis estaban agotadas por la presión de los ejércitos de Greene y Lafayette. Así que Cornwallis retrocedió hasta Virginia para reagruparse.

Pero Cornwallis tomó una decisión equivocada. Estableció su base en Yorktown, en la costa interior de la bahía de Chesapeake. Esperaba que sus tropas pudieran ser reforzadas desde Nueva York por barco. Sin embargo, subestimó la ayuda francesa a la causa estadounidense.

Una gran flota francesa llegó desde las Indias occidentales. Cerró la bahía. Cornwallis no pudo salir en bote y la ayuda de Nueva York no llegó rápidamente. Sabiendo esto, el general francés Rochambeau se unió con Washington. Sus ejércitos combinados se apresuraron a interrumpir las rutas del sur y el oeste de Cornwallis.

Pronto las tropas estadounidenses y francesas se atrincheraron a unas 300 yardas de los británicos. El fuego de los cañones estadounidenses aumentó. Entonces Cornwallis hizo un intrépido intento nocturno por cruzar el río York hacia un pequeño campamento que había allí. Tenía la esperanza de escapar por el campo y dirigirse a Nueva York. Sin embargo, una violenta tormenta arrastró la mayoría de sus botes de vuelta a la costa de Yorktown. Tres días más tarde, el 19 de octubre, los británicos se rindieron formalmente. Fue el fin de una batalla relativamente incruenta. El mapa que aparece más abajo muestra lo imposible que era la situación de Cornwallis.

En Inglaterra la derrota de Yorktown tuvo un gran impacto. Ahora los miembros del Parlamento tenían su mejor argumento para conceder finalmente la independencia a Estados Unidos. Prácticamente, la guerra había terminado.

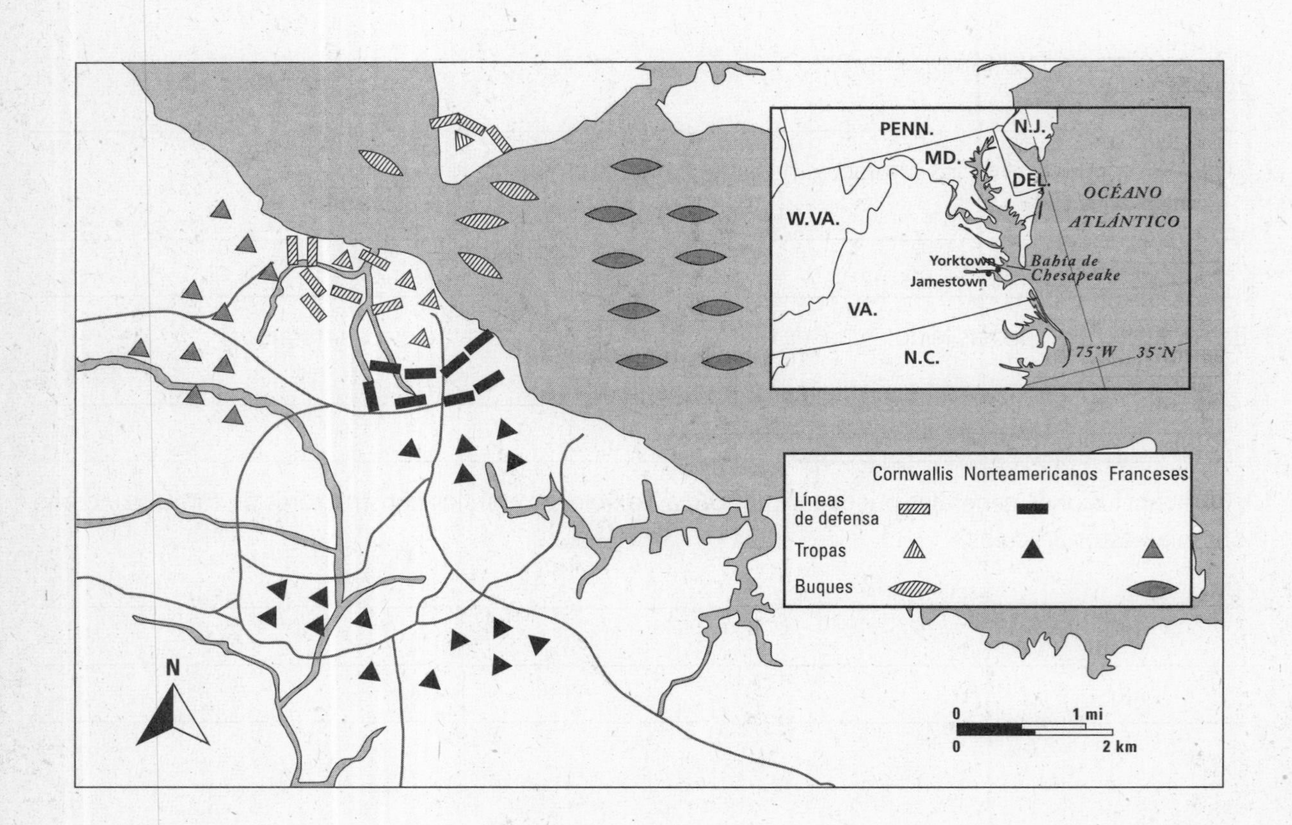

Copyright © McDougal Littell Inc.

Interpretar mapas y textos

1. ¿Dónde está ubicado Yorktown?

2. ¿Qué impidió a los barcos británicos descender por la costa atlántica para ayudar a Cornwallis?

3. ¿Qué impidió el escape por tierra de Cornwallis?

4. ¿Quiénes separaron Yorktown del sur?

   ¿y del oeste?

5. ¿Cuál de las tres fuerzas que estaban en Yorktown no tenía barcos en el área del río York y la bahía de Chesapeake?

6. ¿Quiénes controlaban el pequeño campamento en la orilla opuesta a Yorktown?

7. ¿Aproximadamente cuán lejos de Yorktown estaba el campamento?

8. ¿Qué impidió el intento de Cornwallis de alcanzar esa orilla bajo la protección de la oscuridad?

9. Encuentra Jamestown en el mapa del recuadro. ¿Qué hay de irónico o raro en que Yorktown esté relativamente tan cerca de Jamestown?

Copyright © McDougal Littell Inc.

Nombre ______________________ Fecha ______________

Lectura guiada

A. Hacer generalizaciones Mientras lees esta sección, toma notas sobre las características de quienes fueron delegados a la Convención.

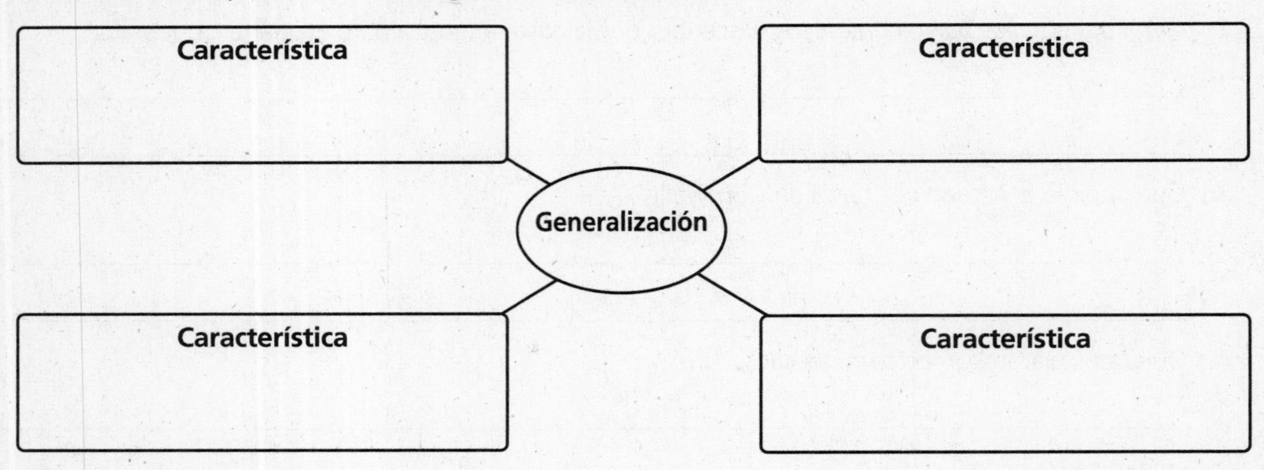

B. Resumir Usa la siguiente tabla para resumir el plan de Virginia y el plan de Nueva Jersey.

1. El plan de Virginia proponía una legislatura que consistía en:	2. El plan de Nueva Jersey proponía una legislatura que consistía en:
3. ¿Quién apoyaba el plan de Virginia?	4. ¿Quién apoyaba el plan de Nueva Jersey?
5. ¿Cómo se solucionó este problema con el Gran Compromiso?	

C. Analizar puntos de vista En la parte de atrás de esta hoja explica brevemente el desacuerdo entre los norteños y sureños que fue solucionado por el Acuerdo de los Tres Quintos.

Copyright © McDougal Littell Inc.

Nombre ______________________ Fecha ______________

Lectura guiada

A. Hacer generalizaciones Mientras lees esta sección, toma notas sobre las características de quienes fueron delegados a la Convención.

1. ¿Qué eran los federalistas?	2. ¿Qué eran los antifederalistas?
3. ¿Quiénes eran las figuras principales de los federalistas?	4. ¿Quiénes eran las figuras principales de los antifederalistas?
5. ¿Cuáles eran las razones que daban los federalistas para apoyar su postura sobre la ratificación?	6. ¿Cuáles eran las razones que daban los antifederalistas para apoyar su postura sobre la Constitución?

Copyright © McDougal Littell Inc.

B. Resumir Usa la siguiente tabla para resumir el plan de Virginia y el plan de Nueva Jersey.

Nombre ______________________________ Fecha ______________

Recursos detallados: Unidad 1

Desarrollo de destrezas: Práctica

Analizar puntos de vista

A menudo la gente tiene puntos de vista conflictivos sobre cuestiones políticas. Los líderes de Virginia estaban muy divididos con respecto al apoyo a la Constitución propuesta. Lee los fragmentos de Patrick Henry y Edmund Pendleton, dos virginianos influyentes. Luego completa el siguiente. Se han colocado algunas respuestas. (Ver Manual de desarrollo de destrezas, página R8.)

Patrick Henry

Tengo el mayor de los [respetos] por esos cablleros [los que redactaron la Constitución]; pero, señor, déme permiso para preguntar: ¿qué derecho tienen ellos para decir "Nosotros, el pueblo"? Mi curiosidad política… me lleva a preguntar: ¿quién los autorizó a hablar el idioma de "Nosotros, el pueblo" en lugar de "Nosotros, los estados"? Los estados son la característica y el alma de una confederación. Si los estados no son los agentes de este pacto, debe serlo un gobierno grande, consolidado y nacional del pueblo de todos los estados.

Edmund Pendleton

Pero se hace una objeción a la forma: la expresión "Nosotros, el pueblo" es una idea errónea. Permítaseme preguntar al cabllero que hizo esta objeción, ¿quién sino el pueblo puede delegar poderes? ¿Quién sino el pueblo tiene derecho a formar un gobierno?… Si la objeción es que la Unión no debería ser del pueblo sino de los gobiernos estatales, entonces creo que la elección de aquél fue muy feliz y apropiada. ¿Qué van a hacer los gobiernos estatales con esto? Si ellos pudieran determinarlo, el pueblo no querría, en ese caso ser juez sobre qué términos se adoptaron.

Annals of America, Chicago, Encyclopaedia Britannica, 1968, Volumen III, pp. 280-287.

	Punto de vista de Henry	Punto de vista de Pendleton
1. ¿Cómo ve el escritor a la frase "Nosotros el pueblo"?	No le gusta la frase. Al gobierno deberían establecerlo los estados.	
2. Resume el interés principal del escritor.		El pueblo, no los estados toma las decisiones.
3. Enuncia la opinión general del escritor sobre la Constitución propuesta.	Se opone a la ratificación.	

Copyright © McDougal Littell Inc.

Nombre ______________________________ Fecha ______________

Aplicación geográfica

La ratificación de la Constitución

El 17 de septiembre de 1787 los delegados a la Convención Constitucional en Filadelfia firmaron la aprobación del documento. Aun así, la Constitución propuesta era motivo de controversia.

La Constitución decía que para ratificar la Constitución se necesitaban nueve de los trece estados. Alcanzar ese número no sería fácil. Un estado, Rhode Island, desde el principio había rechazado la idea de un gobierno nacional. Ni siquiera había enviado delegados a la convención. Luego, algunos estados temían que la Constitución les quitara gran parte de su poder. Otros temían que permitiera el predominio de los estados grandes. Algunos estados sureños desconfiaban de los estados norteños.

La gente formó dos grupos. Los antifederalistas se oponían a la Constitución. Éstos incluían una gran cantidad de pequeños granjeros que vivían en áreas rurales. Los federalistas la apoyaban. Éstos incluían la mayoría de personas que poseían grandes propiedades y comercios. Generalmente, también la apoyaba la gente que vivía en pueblos grandes. El siguiente mapa da detalles de cómo estaban divididos los estados por la ratificación.

El Congreso siguió adelante. El 28 de septiembre, envió la Constitución a los trece estados para su aprobación. Al mismo tiempo, el Congreso llamó a convenciones ratificadoras especiales en cada estado. Este movimiento evitó algunas legislaturas estatales que se oponían al documento. Finalmente todas las convenciones estatales aprobaron la Constitución. Rhode Island fue el último, le llevó cerca de tres años.

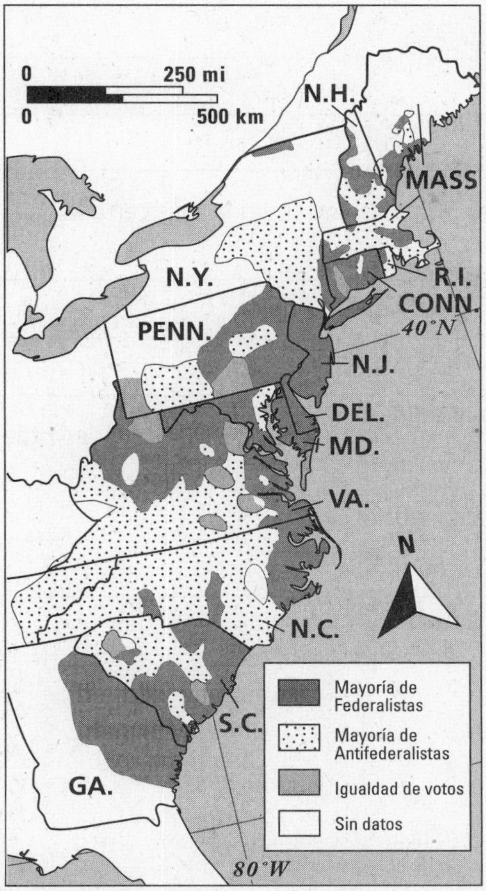

Porcentaje de votos a favor y en contra de la ratificación de la Constitución

Estado	% a favor	% en contra
Delaware	100	0
Georgia	100	0
Nueva Jersey	100	0
Maryland	85	15
Connecticut	76	24
Carolina del Norte	72	28
Pensilvania	67	33
Carolina del Sur	67	33
New Hampshire	55	45
Massachusetts	53	47
New York	53	47
Virginia	53	47
Rhode Island	52	48

Copyright © McDougal Littell Inc.

Interpretar mapas y textos

1. ¿Cuáles eran los tres estados que sólo apoyaban la posición federalista a favor de la ratificación?

2. Georgia estaba cien por ciento a favor de la ratificación de la Constitución. Pero a diferencia de Nueva Jersey y Delaware, el estado no está cubierto completamente por el sombreado "Mayoría federalista". Explica cómo puede ser esto.

3. ¿Qué posición ganó más apoyo en las áreas costeras (en donde estaban ubicadas las poblaciones más grandes)?

4. ¿Dónde se concentraba el apoyo antifederalista?

5. Mira el sombreado de Nueva York. Los antifederalistas controlaban la mayoría del territorio del estado. ¿Por qué crees que triunfó el apoyo a la ratificación?

6. ¿Por qué no sorprende que la diferencia de votos en Rhode Island fuera la más cerrada?

7. Observa otra vez el mapa. ¿Qué hubiera pasado si Nueva York solo hubiera dejado de votar a favor de a la ratificación?

Copyright © McDougal Littell Inc.

Nombre ______________________ Fecha ______________

Lectura guiada

A. Hallar ideas principales Mientras lees el Preámbulo, completa el ideograma en racimo con los seis objetivos de la Constitución.

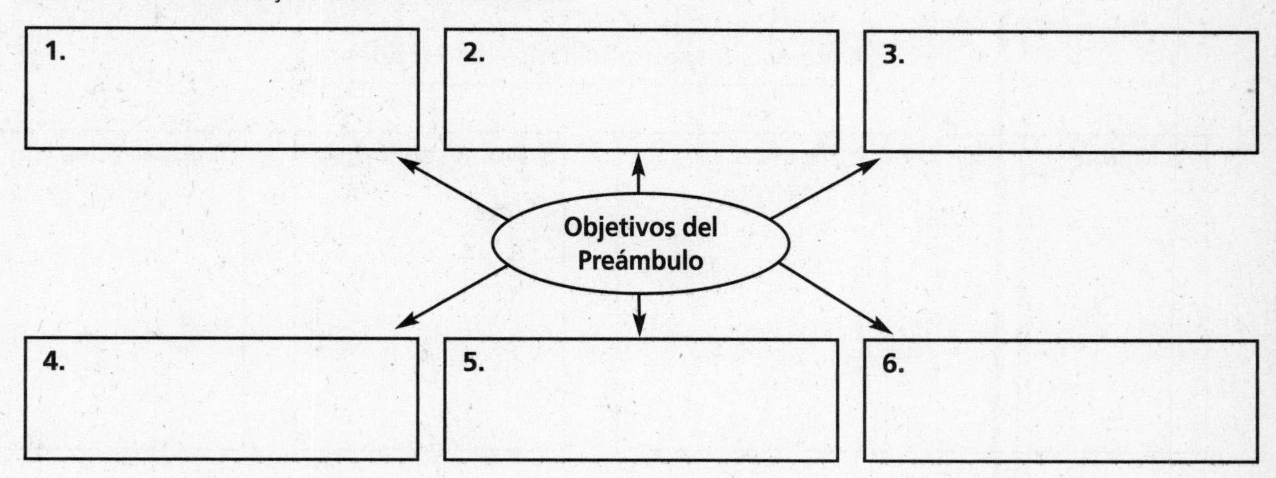

B. Comparar y contrastar Mientras lees sobre el Congreso en el Artículo 1, completa la tabla siguiente con información sobre la Cámara de Diputados y el Senado.

	Cámara de Diputados	Senado
1. Requisitos de los candidatos		
2. Período del cargo		
3. Número de miembros por estado		
4. Inhabilitación		
5. Proyectos de ley para recaudar dinero		
6. Poderes militares		
7. Papel del vicepresidente		

Copyright © McDougal Littell Inc.

Nombre ______________________________ Fecha ______________

Lectura guiada

A. Hallar ideas principales Mientras lees el Preámbulo, completa el ideograma en racimo con los seis objetivos de la Constitución.

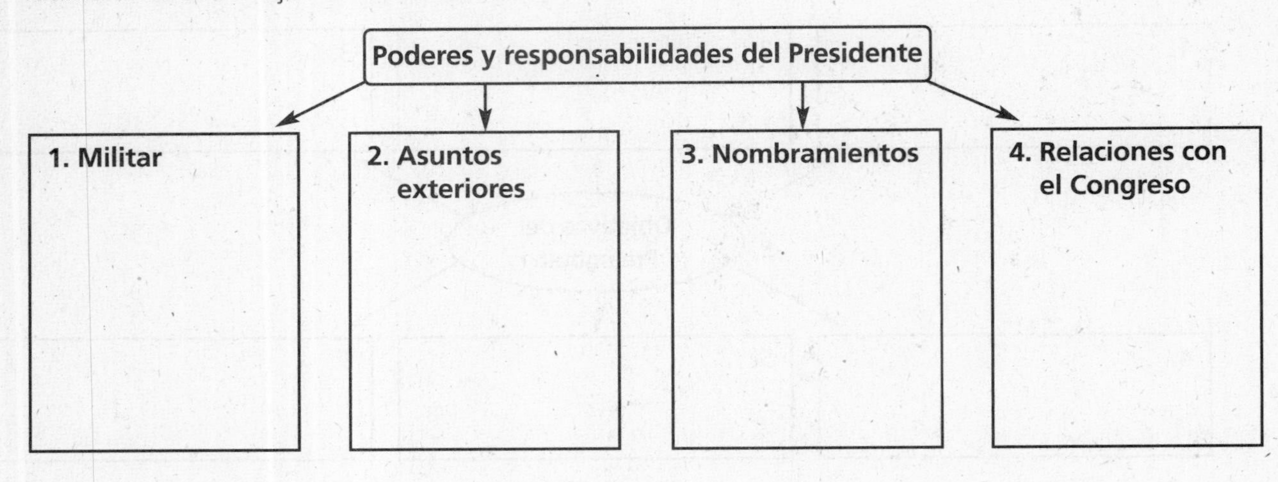

B. Comparar y contrastar Mientras lees sobre el Congreso en el Artículo 1, completa la tabla siguiente con información sobre la Cámara de Diputados y el Senado.

1. ¿Qué cortes o tribunales constituyen la rama judicial del gobierno?
2. ¿Cuánto dura el mandato de un juez de la Corte Suprema?
3. ¿Qué es el poder judicial? Da dos ejemplos.
4. ¿Qué "freno", o control, tiene la Corte Suprema sobre el Congreso? Explica.
5. ¿Cómo define traición la Constitución? ¿Qué debe suceder antes de que a una persona se la declare culpable de traición?

Copyright © McDougal Littell Inc.

Nombre ______________________ Fecha ______________

Lectura guiada

A. Resolver problemas Mientras lees el Artículo 4, explica cómo la Constitución resuelve cada uno de los problemas que se presentan a continuación.

1. Problema: Una importante ciudad estadounidense es la escena de violencia interna, y corre peligro mucha de la gente del estado.

Solución:

2. Problema: Se acusa a una persona de un crimen serio, y luego esta persona huye a otro estado.

Solución:

B. Resumir Mientras lees el Artículo 5, explica los procedimientos para enmendar la Constitución.

1. Proponer enmiendas	2. Ratificar enmiendas

C. Resumir Mientras lees el Artículo 6, completa el diagrama siguiente para mostrar las bases de la "ley suprema de la nación".

"Ley suprema de la nación"

1.

2.

3.

D. Hallar ideas principales Mientras lees el Artículo 7, contesta a las preguntas siguientes.

1. ¿Cuántos estados tenían que ratificar la Constitución antes de que pudiera entrar en vigor? ______________
2. ¿En qué año firmaron la Constitución los delegados a la Convención Constitucional? ______________

Copyright © McDougal Littell Inc.

Nombre ______________________ Fecha ______________

Lectura guiada

A. Categorizar Mientras lees las Enmiendas 1 a 27, completa la tabla siguiente con una breve explicación de cada enmienda. Usa de guía las agrupaciones que se presentan.

	Explicación
Libertad personal Enmienda 1 Enmienda 2 Enmienda 3 Enmienda 4	
Tratamiento legal justo Enmienda 5 Enmienda 6 Enmienda 7 Enmienda 8	
Poderes reservados Enmienda 9 Enmienda 10	
Procedimientos de elección y condiciones del cargo Enmienda 12 Enmienda 17 Enmienda 20 Enmienda 22 Enmienda 25 Enmienda 27	
Cambios sociales y económicos Enmienda 11 Enmienda 13 Enmienda 14 Enmienda 16 Enmienda 18 Enmienda 21	
Derechos al voto Enmienda 15 Enmienda 19 Enmienda 23 Enmienda 24 Enmienda 26	

Copyright © McDougal Littell Inc.

Nombre ______________________ Fecha ______________

Lectura guiada

A. Encontrar las ideas principales Mientras lees esta sección, anota los desafíos que tuvo que enfrentar el nuevo gobierno y cómo lidió con cada uno de esos desafíos.

B. Resumir Mientras lees sobre la presidencia de Thomas Jefferson, responde las siguientes preguntas.

La presidencia de Thomas Jefferson
1. ¿Cuáles eran los puntos de vista de Jefferson sobre el tipo de país que debía ser Estados Unidos?
2. ¿Cómo simplificó Jefferson el gobierno federal?
3. ¿Por qué tenía Jefferson poco poder sobre el poder judicial?
4. ¿De qué manera incrementó Jefferson el poder del gobierno federal?

Copyright © McDougal Littell Inc.

Nombre ____________________ Fecha ____________________

Lectura guiada

A. Tomar notas Mientras lees esta sección, anota los acontecimientos relacionados con los problemas que tuvo que enfrentar Jackson como presidente y los puntos importantes sobre cada uno.

Problemas que tuvo que enfrentar Jackson como presidente	Puntos importantes
El lugar de los indígenas norteamericanos en Estados Unidos	
Tensiones sectoriales	
Esclavitud, abolición y reforma	

B. Categorizar Mientras lees en esta sección sobre los líderes reformistas, toma nota sobre el área en la cual cada uno luchó por establecer reformas y de qué manera lo hizo.

Reformista	Área en la que deseaba reformas	Manera en que luchó por las reformas

Copyright © McDougal Littell Inc.

Nombre ______________________ Fecha ______________

Lectura guiada

A. Reconocer los efectos Mientras lees esta sección, anota los efectos de las nuevas invenciones y de los nuevos métodos de producción en la economía y la sociedad estadounidenses.

Efectos de la industrialización en la economía y la sociedad estadounidenses		
Economía	**Ambas**	**Sociedad**

B. Encontrar las ideas principales Identifica cada grupo que se desplazó al Oeste y explica una contribución de dicho grupo o evento.

Identificar/Contribución	
Montañeses	**Agricultores**
"Forty-niners" (buscadores de oro)	**Fabricantes y comerciantes**

Copyright © McDougal Littell Inc.

Nombre ______________________ Fecha ______________

Desarrollo de destrezas: Práctica

Hacer deducciones

Las deducciones son ideas que el autor no ha enunciado directamente. **Hacer deducciones** significa que tienes que interpretar la información que lees. Lee el pasaje siguiente sobre George Washington como presidente. En los renglones de la derecha explica lo que puedes deducir de George Washington. (Mira el Manual del desarrollo de destrezas, página R11.)

George Washington	
Nadie podía decirle a George Washington cómo ser presidente. Nadie había hecho ese trabajo antes. Washington sabía que cualquier cosa que hiciese establecería un precedente. Eso significa que él sería el ejemplo y los otros presidentes harían lo mismo que él. La Constitución esbozaba las tareas básicas del presidente, pero no entraba en detalles. George Washington tuvo que decidir muchas cosas por sí mismo. Como siempre, hizo lo mejor que pudo. No quería que el presidente fuese como el rey inglés, pero sí le parecía importante que el presidente tuviese dignidad. Quería que la gente admirara y respetara al presidente. Así que Washington se comportaba con gran dignidad y viajaba en un magnífico carruaje color amarillo canario tirado por seis caballos blancos cuyo pelaje estaba lustrado con polvo de mármol, cuyos cascos estaban pintados de negro y cuyos dientes se limpiaban antes de cada salida. Cuando el presidente Washington daba recepciones oficiales, llevaba pantalones bombachos de terciopelo, guantes amarillos, hebillas de plata en los zapatos y una espada sujeta a la cintura. Usaba su carruaje para viajar por el país. Quería que los estadounidenses conocieran a su presidente. *de* Joy Hakim, ***The New Nation***, New York, Oxford University Press,1993, págs. 20-21.	1. ¿Qué hizo tan difícil ser el primer presidente de la nación? ______________________ ______________________ 2. ¿Qué puedes deducir acerca del carácter de Washington al prepararse éste para la presidencia? ______________________ ______________________ 3. ¿En qué se parecía el presidente al rey inglés? ______________________ ______________________ 4. ¿Cómo quería Washington que los estadounidenses vieran al presidente? ______________________ ______________________ 5. ¿Por qué creería Washington que el presidente debía ser asequible a los ciudadanos del país? ______________________ ______________________

Copyright © McDougal Littell Inc.

Nombre ______________________ Fecha ______________

Aplicación geográfica

El movimiento interno de esclavos después de 1810

En 1808 el Congreso prohibió la importación de africanos en calidad de esclavos. Sin embargo, esto no puso fin por completo a la práctica. Se estima que entre 1810 y 1860 entraron de contrabando cerca de 250,000 esclavos a Estados Unidos.

El auge del algodón del Sur había incrementado la demanda de esclavos. Pero el contrabando sólo no cubría la demanda. Así que se inició un tráfico de esclavos dentro de Estados Unidos.

A principios del siglo XIX, el exceso de cultivo había agotado algunas de las tierras en los estados del alto Sur. Cayó el valor de muchos cultivos. Ahora estos estados tenían más esclavos de los que necesitaban. Por lo tanto se hizo rentable para los hacendados de aquellas áreas vender el sobrante de esclavos a las regiones algodoneras del bajo Sur. Se cree, por ejemplo, que en la década de 1830 Virginia vendió cerca de 12,000 esclavos anuales. En 1832, un escritor esclavista sostenía que la cría de esclavos para la venta era una de las "mayores fuentes de ganancias" de Virginia.

Los centros de tráfico de esclavos aparecieron por todo el Sur. A muchos esclavos se les enviaba en barco, desde ciudades portuarias, alrededor de Florida directo a Nueva Orleans. Allí, en una subasta, podían ser revendidos en Alabama, Misisipi y Luisiana por aproximadamente dos veces su precio original. Los esclavos también viajaban por el interior. Algunos eran trasladados en botes por los rios. A muchos otros se les hacía ir a pie. El siguiente mapa muestra las muchas rutas que los esclavos se vieron forzados a tomar para ir al bajo Sur.

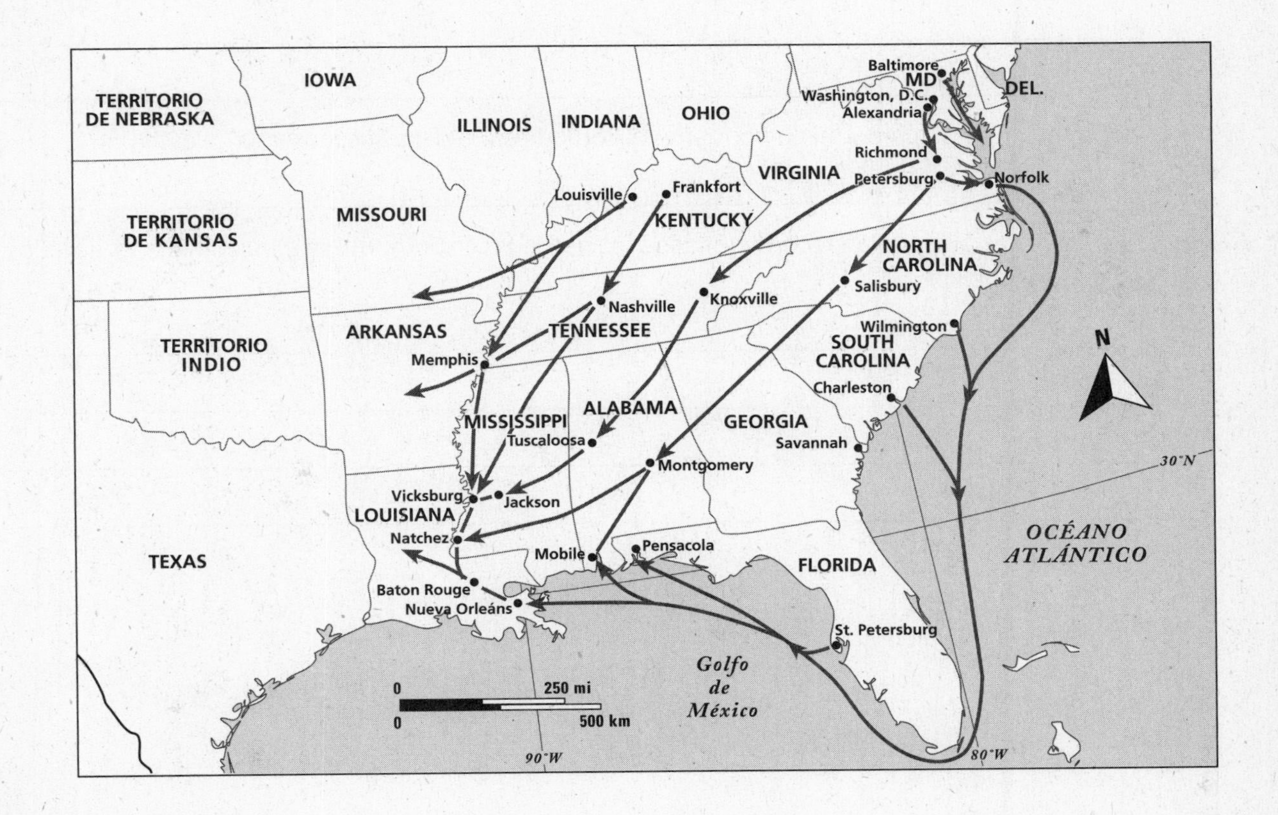

Copyright © McDougal Littell Inc.

Interpretar mapas y texto

1. ¿Por qué algunos hacendados de Virginia criaban esclavos para vender en el bajo Sur?

2. Nombra los cinco estados que aparecen en el mapa como los proveedores más importantes del tráfico interno de esclavos.

3. Nombra cuatro ciudades que enviaban esclavos por barco directamente a Nueva Orleans.

4. ¿Por qué crees que Memphis, Vicksburg, Natchez y Baton Rouge aparecen como destinos importantes para el tráfico interno de esclavos?

5. ¿Qué estado sureño no aparece ni como fuente ni como destino del tráfico interno de esclavos?

6. Detalla las dos rutas que podían recorrer los esclavos desde Petersburg, Virginia, mientras eran llevados a Natchez, Mississippi.

Copyright © McDougal Littell Inc.

Nombre ______________________ Fecha ______________

Lectura guiada

A. Comparar y contrastar Mientras lees esta sección, anota las diferencias entre el Norte y el Sur.

	Norte	Sur
Economías		
Puntos de vista sobre la esclavitud		
Partido político		

B. Resumir Después de leer sobre los eventos que condujeron a la secesión del Sur, escribe cuáles fueron las leyes aprobadas por el Congreso o las decisiones de los tribunales de justicia relacionadas con la esclavitud y sus puntos principales y los conflictos que resultaron de las mismas.

Copyright © McDougal Littell Inc.

Nombre ______________________________ Fecha ____________________

Lectura guiada

A. Resumir Mientras lees sobre el estallido de la Guerra Civil, resume las ventajas de cada bando al momento en que se declaró la guerra.

¿Qué ventajas tenía la Unión?	¿Qué ventajas tenía el Sur?

B. Categorizar Mientras lees esta sección, toma notas sobre los diferentes cambios económicos, sociales y políticos que produjo la Guerra Civil en Estados Unidos.

Guerra Civil		
Cambios económicos	**Cambios sociales**	**Cambios políticos**

Copyright © McDougal Littell Inc.

Nombre ______________________ Fecha ____________

Lectura guiada

A. Encontrar las ideas principales Mientras lees esta sección, anota lo que se declaró en las leyes y enmiendas del período de la Reconstrucción.

Ley	Lo que se declaró
Ley de Derechos Civiles de 1866	
Decimocuarta Enmienda	
Leyes de la Reconstrucción de 1866	
Decimoquinta Enmienda	

B. Resumir En una hoja de papel separada, resume los éxitos y fracasos de la Reconstrucción con respecto a los afroestadounidenses.

Copyright © McDougal Littell Inc.

Nombre ______________________ Fecha ______________

Desarrollo de destrezas: Práctica

Interpretar las tablas

Las tablas presentan información de manera visual. También permiten resumir una cantidad grande de información. La siguiente tabla enumera los principales líderes de la Reconstrucción mencionados en la sección 3 "Fin de la Reconstrucción". Después de **interpretar la siguiente tabla**, contesta a las preguntas. (Mira el Manual del desarrollo de destrezas, página R22.)

Líder	Estado	Importancia durante la Reconstrucción
William Belknap	Nueva York	General acusado de recibir sobornos mientras era ministro de Guerra
Robert B. Elliott	Carolina del Sur	Afroamericano elegido al Congreso
Ulysses S. Grant	Illinois	General elegido presidente en 1868 y 1872; durante sus mandatos hubo escándalos
Frances Ellen Watkins Harper	Pensilvania	Afroamericano que apoyó el derecho electoral para los hombres afroamericanos
Rutherford B. Hayes	Ohio	Político republicano que ganó las controvertidas elecciones presidenciales de 1876
Wendell Phillips	Massachusetts	Abolicionista que se opuso al Acuerdo de 1877
Joseph Rainey	Carolina del Sur	Afroamericano elegido al Congreso
Elizabeth Cady Stanton	Nueva York	Activista por el sufragio que protestó contra la Decimoquinta Enmienda porque no aplicaba a las mujeres
Samuel J. Tilden	Nueva York	Político demócrata que perdió las controvertidas elecciones presidenciales de 1876

1. ¿En qué se parecían Robert B. Elliott y Joseph Rainey?

____

2. Nombra dos líderes que eran mujeres.

____

3. Explica por qué Samuel J. Tilden y Wendel Phillips probablemente estaban de acuerdo respecto al Acuerdo de 1877.

____

4. Nombra dos líderes que fueron presidentes.

____

5. ¿Qué líderes eran del Sur?

____

6. ¿Quién era Frances Ellen Watkins Harper?

____

Copyright © McDougal Littell Inc.

Nombre ______________________ Fecha ______________

Aplicación geográfica

Efectos económicos de la guerra Civil, 1860 y 1880

La guerra Civil se luchó mayormente en territorio sureño. Como resultado la guerra destrozó la economía del Sur.

Los estados sureños perdieron gran riqueza de varias maneras. Sus ferrocarriles los habían destruido los soldados invasores de la Unión. Después de la guerra, el dinero que había emitido por la Confederación no tenía valor alguno. Cayó el valor del algodón. La producción del algodón bajó de más de 4 millones de pacas en 1861 a unas meras 300,000 pacas para 1865. En general, las bajas de la guerra y la liberación de los esclavos disminuyeron el número de peones para todos los trabajos de campo. Algunos campos escaparon la destrucción de la guerra pero luego resultó imposible que se recogieran sus cosechas. Como consecuencia el rendimiento por acre cayó por todas partes. También sufrieron los servicios básicos. Había muy pocos herreros y carpinteros.

Poco después de la guerra, muchos afroamericanos liberados se encontraron en una pobreza extrema. Se vieron forzados a atarse a la tierra una vez más en condiciones muy poco favorables llamadas sistema de contrato y sistema de aparcería. Al Sur le llevó décadas recuperarse de este abuso a su economía. Los mapas siguientes muestran cómo cambió la riqueza de los estados sureños.

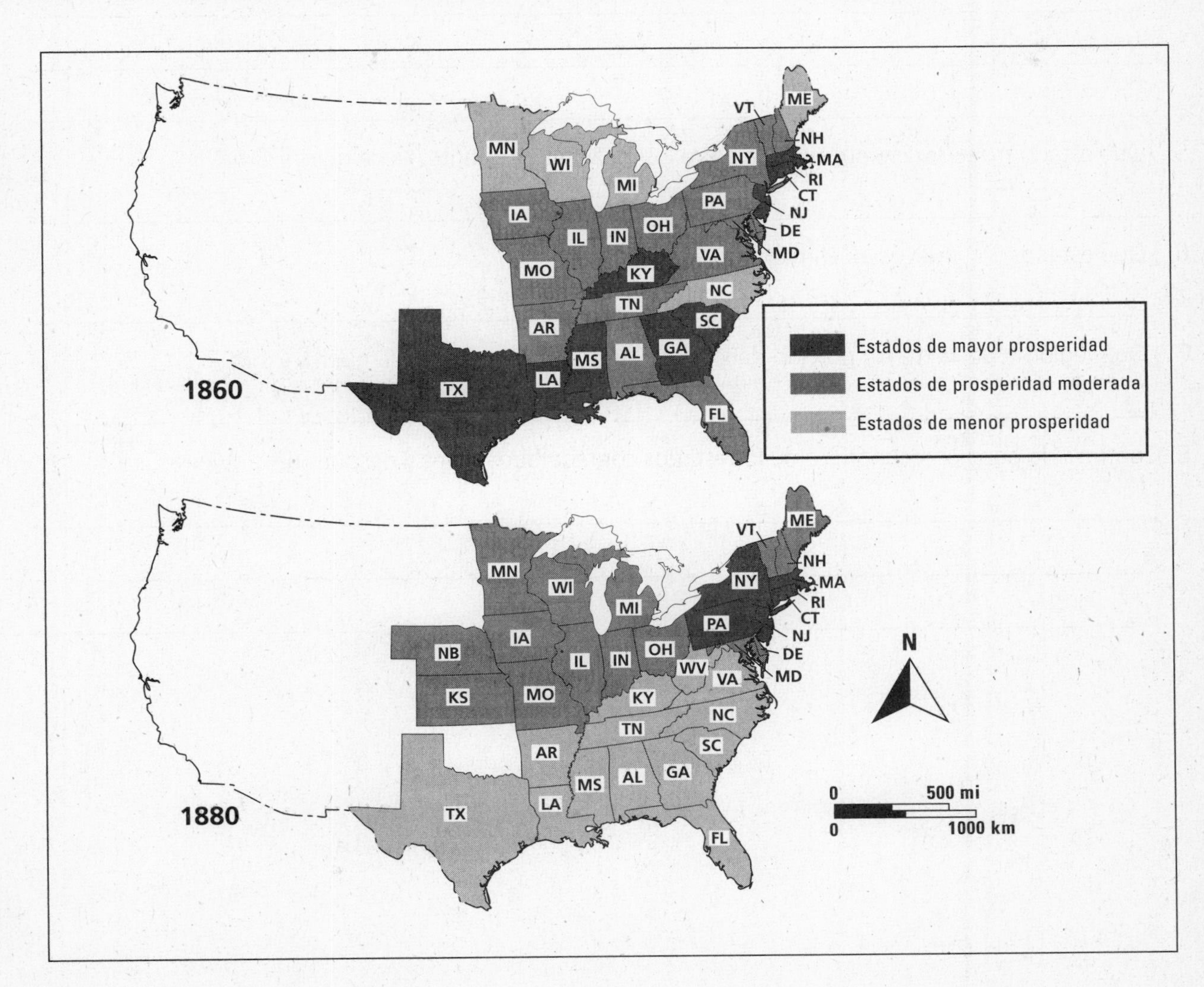

Copyright © McDougal Littell Inc.

Interpretar mapas y texto

1. ¿En qué región (el Norte o el Sur) se encontraban los estados más ricos en 1880?

2. ¿Qué estados confederados se encontraban entre los más ricos antes de la guerra Civil?

   En qué se basaba principalmente su riqueza económica?

3. Para 1880, ¿cuáles de estos estados confederados se encontraban entre los menos ricos?

4. ¿Qué estados norteños se encontraban entre los estados más ricos antes de la guerra Civil? Compara su posición económica después de la guerra.

5. ¿Qué estado fronterizo se encontraba entre los diez más ricos antes de la guerra Civil?

6. ¿Qué estados son nuevos en el mapa de 1880?

7. ¿Qué región tenía la mayor porción de los estados más ricos antes de la guerra Civil?

8. Contrasta la posición económica de los estados confederados antes y después de la guerra Civil.

Copyright © McDougal Littell Inc.

Nombre ______________________ Fecha ______________

Lectura guiada

A. Tomar notas Mientras lees esta sección, toma notas sobre el surgimiento y la decadencia de las industrias ganadera y minera del oeste.

Industria minera	
1. Surgimiento de la industria minera	2. Decadencia de la industria minera
Cattle Industry	
3. Surgimiento de la industria ganadera	4. Decadencia de la industria ganadera

B. Resumir En el reverso de esta hoja resume brevemente la importancia de cada uno de los suguientes en el desarrollo de asentamientos en el oeste.

pueblo en auge   vaquero   vigilante

Copyright © McDougal Littell Inc.

Nombre ______________________ Fecha ______________

Lectura guiada

A. Organizar la secuencia de los sucesos Mientras lees acerca de los conflictos que tuvieron lugar durante el establecimiento de asientos en la frontera del oeste, contesta preguntas sobre la línea cronológica siguiente

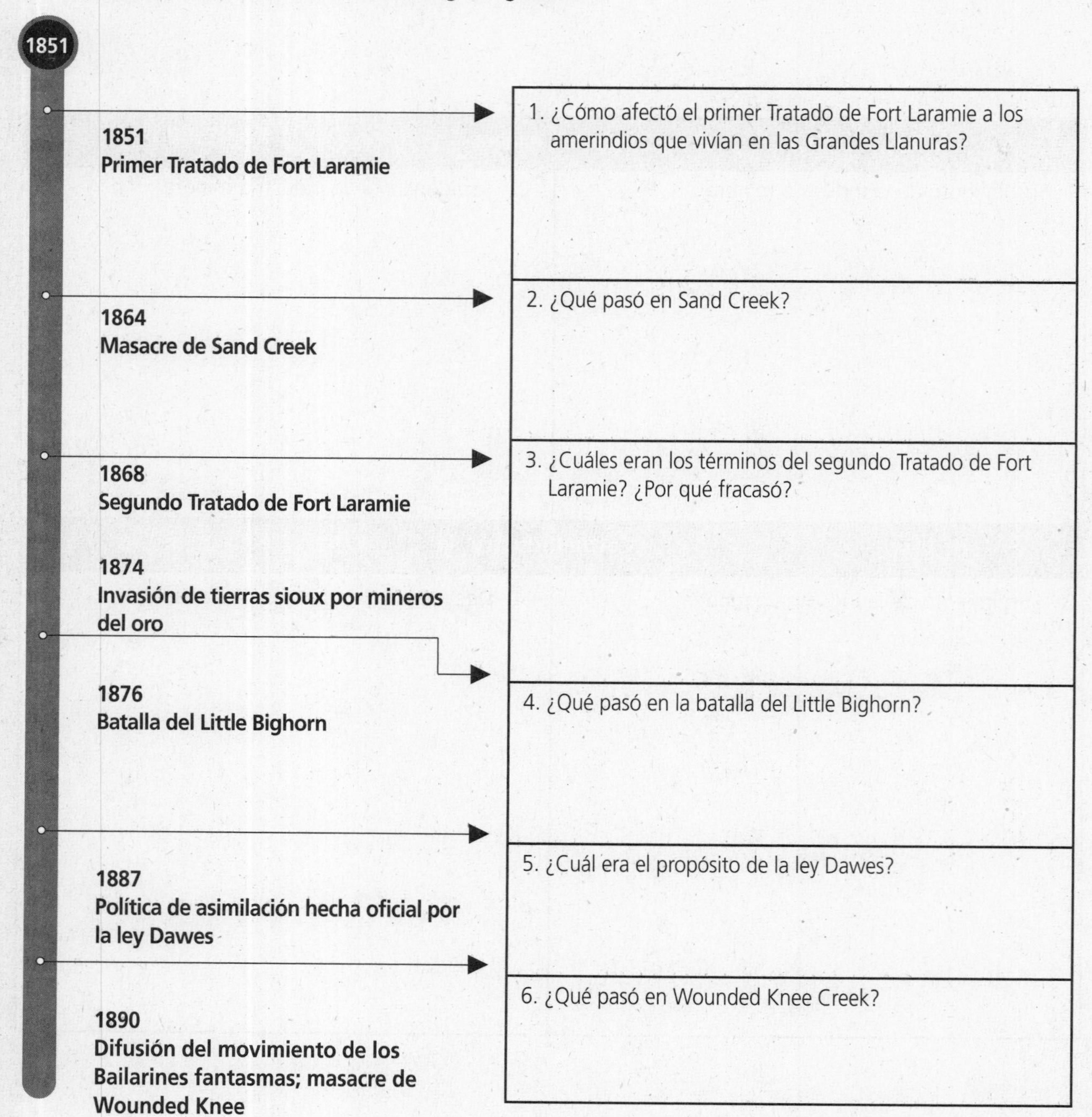

B. Resumir En el reverso de esta hoja resume brevemente por qué fracasó la ley Dawes.

Copyright © McDougal Littell Inc.

Nombre ______________________ Fecha ______________

Lectura guiada

A. Analizar causas y reconocer efectos Mientras lees en esta sección sobre la vida en el oeste, da las causas o efectos que faltan.

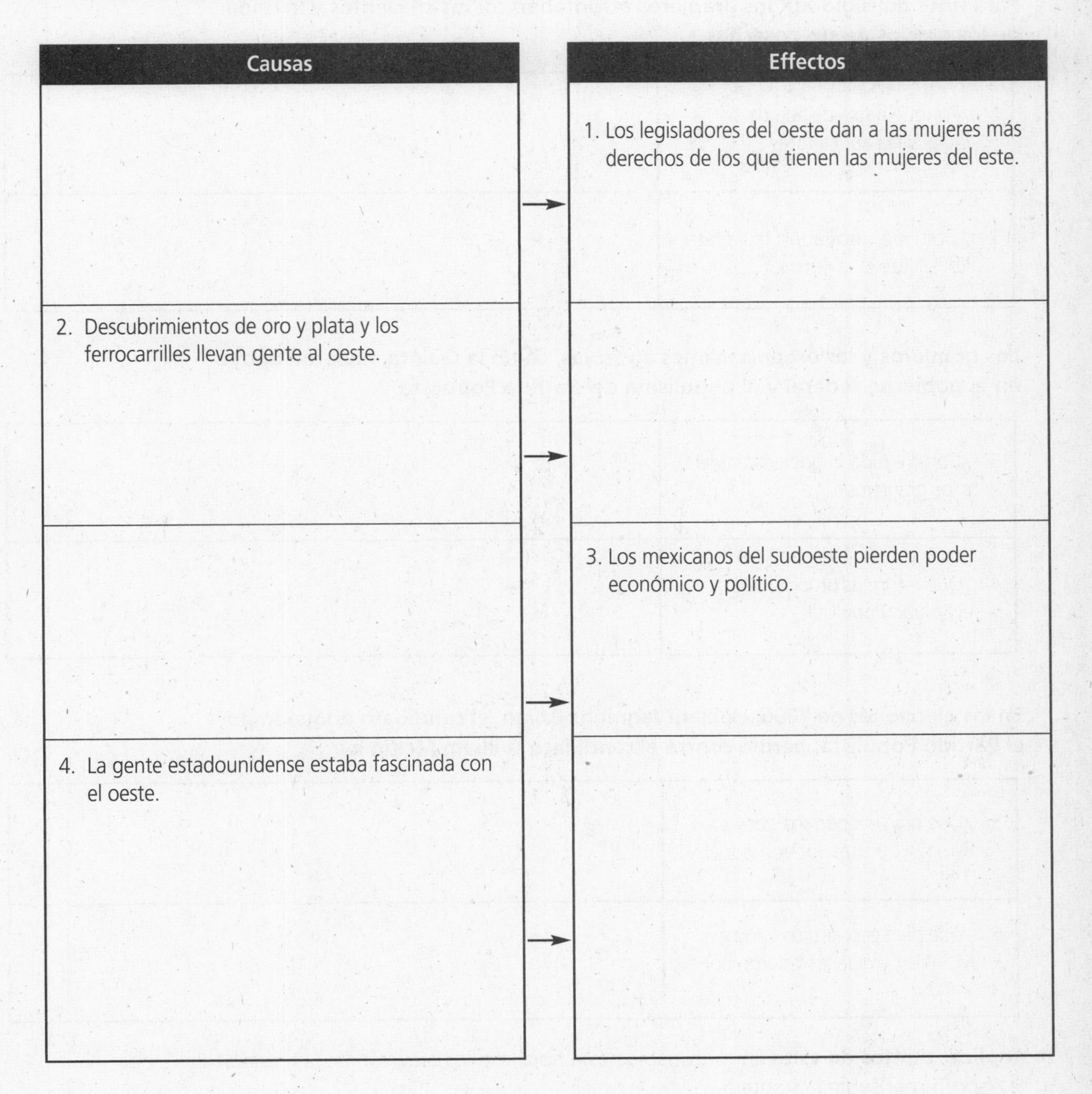

Causas		Effectos
	→	1. Los legisladores del oeste dan a las mujeres más derechos de los que tienen las mujeres del este.
2. Descubrimientos de oro y plata y los ferrocarrilles llevan gente al oeste.	→	
	→	3. Los mexicanos del sudoeste pierden poder económico y político.
4. La gente estadounidense estaba fascinada con el oeste.	→	

B. Desarrollar y apoyar opiniones En el reverso de esta hoja explica brevemente por qué te parece que la gente estadounidense estaba tan fascinada con el mito del Viejo Oeste.

Copyright © McDougal Littell Inc.

Lectura guiada

A. Sacar conclusiones Mientras lees esta sección, toma notas para contestar preguntas sobre las condiciones que hicieron que progresivamente la agricultura dejara de ser lucrativa.

Para fines del siglo XIX los granjeros afrontaban costos crecientes y la caída de los precios de sus cosechas.

1. ¿Por qué había dejado de ser lucrativa la agricultura?	
2. ¿Por qué apoyaban la "plata libre" los granjeros?	

Los granjeros y las organizaciones agrícolas, como la Quinta, hallaron apoyo en el gobierno federal y el populismo del Partido Populista.

3. ¿Cómo ayudó el gobierno federal a los granjeros?	
4. ¿Qué reformas propugnaba el Partido Populista?	

En las elecciones de 1896, William Jennings Bryan, el candidato apoyado por el Partido Populista, perdió contra el candidato William McKinley.

5. ¿Qué plan económico apoyaba Byran, y quiénes votaron por él?	
6. ¿Qué plan económico apoyaba McKinley, y quiénes votaron por él?	

B. Analizar puntos de vista En el reverso de esta hoja, explica brevemente la teoría de Frederick Jackson Turner sobre la frontera.

Copyright © McDougal Littell Inc.

Nombre ______________________________ Fecha ______________

Desarrollo de destrezas: Práctica

Usar Internet

Internet es una red de computadoras que conecta a escuelas, bibliotecas, organizaciones de prensa, agencias gubernamentales, empresas e individuos particulares de todas partes del mundo. El gobierno de Estados Unidos mantiene varios sitios de Internet para la gente interesada en la historia. **Usa Internet** para visitar los sitios enumerados a continuación. Luego contesta a las preguntas que aparecen más abajo. (Mira el Manual del desarrollo de destrezas, página R30.)

A. http://www.nara.gov/education/teaching/teaching.html

El sitio Web de la Adminstración Nacional de Archivos y Registros (NARA) incluye una sección grande sobre el uso de las fuentes primarias para aprender historia. Dentro de esta sección hay un artículo titulado "Solicitud de patente por Glidden para el alambre de púa". Aparte de describir la importancia del alambre de púa, el sitio muestra imágenes de la solicitud de patente de Joseph Glidden.

1. ¿Qué canto, escrito por Cole Porter, lo inspiró parcialmente el alambre de púa?

____

2. ¿Quién desarrolló lo que se llamó el "cerco espinoso"?

____

3. ¿En qué fecha se le otorgó su patente a Glidden?

____

B. http://hoover.nara.gov/kids/liw_kids/pioneering_intro.html

Este sitio Web de NARA es parte de la Biblioteca y Museo Presidencial Herbert Hoover. Incluye una sección diseñada especialmente para los estudiantes. Algunos de sus artículos enfocan a Laura Ingalls Wilder, la autora de los libros de *La casita de la pradera.*

4. ¿En qué año nación Laura Ingalls?

____

5. ¿En qué año vivió Laura Ingalls en Burr Oak, Iowa?

____

6. Enumera tres partes de este sitio que tratan de Laura Ingalls.

____

C. http://memory.loc.gov/ammem/ammemhome.html

La Biblioteca del Congreso incluye las Colecciones históricas para la Biblioteca Digital Nacional. Como parte de su sitio Web, la biblioteca tiene una variedad de colecciones, artículos y actividades de apredizaje para uso en los salones de clase.

7. Escribe la fecha de hoy. ¿Qué sucedió en la historia en esta fecha?

____

8. ¿Qué incluye la colección "California como la vi yo"?

____

Copyright © McDougal Littell Inc.

Aplicación geográfica

La última batalla de Custer

Cuando en 1866 se formó el Regimiento del VII de Caballería se le asignó como comandante a George Amstrong Custer, héroe de la guerra Civil. En 1874 mandaron a este regimiento a servir en el territorio de Dakota y a una cita con el destino.

El descubrimiento de oro había atraído a muchos pobladores blancos a las Black Hills, que se hallaban a lo largo de la frontera entre los territorios de Wyoming y Dakota. Éstas eran tierras que estaban dentro de la reserva de los sioux. Así que a menudo había confrontaciones porque los cheyene y los sioux habían reclamado esas tierras como sagradas. Pronto dejaron la reserva e hicieron planes para explusar a los intrusos. Finalmente el gobierno actuó.

Bajo los caciques Sitting Bull y Crazy Horse los sioux y los cheyene se reunieron en un campamento en el sudeste del territorio de Montana. En junio de 1876 salió del fuerte Abraham Lincoln una expedición bajo el comando del general Alfred Terry y de Custer. Querían forzar a los amerindios a que regresaran a su reserva.

El 22 de junio Terry y Custer se separaron en la costa del río Yellowstone. Custer tomó la ruta sur y Terry iba a atacar desde el norte. Pero aparentemente Custer subestimó el tamaño del campamento. El 25 de junio dividió a su VII Caballería de 600 hombres en tres batallones. Los dirigidos por Marcus Reno y Frederick Benteen se quedaron empantanados luchando al sur del campamento. Al mismo tiempo Custer y sus 210 hombres fueron hacia el norte, al este del campamento. Pronto los rodearon 2,500 guerreros. No llegó auxilio. En la fiera batalla murieron Custer y todos sus hombres. Finalmente, el 26 de junio se acercó desde el norte el ejército de Terry. Pronto el campamento sioux y cheyene se dispersó en todas direcciones. El mapa que aparece a continuación sigue a Custer a su batalla final.

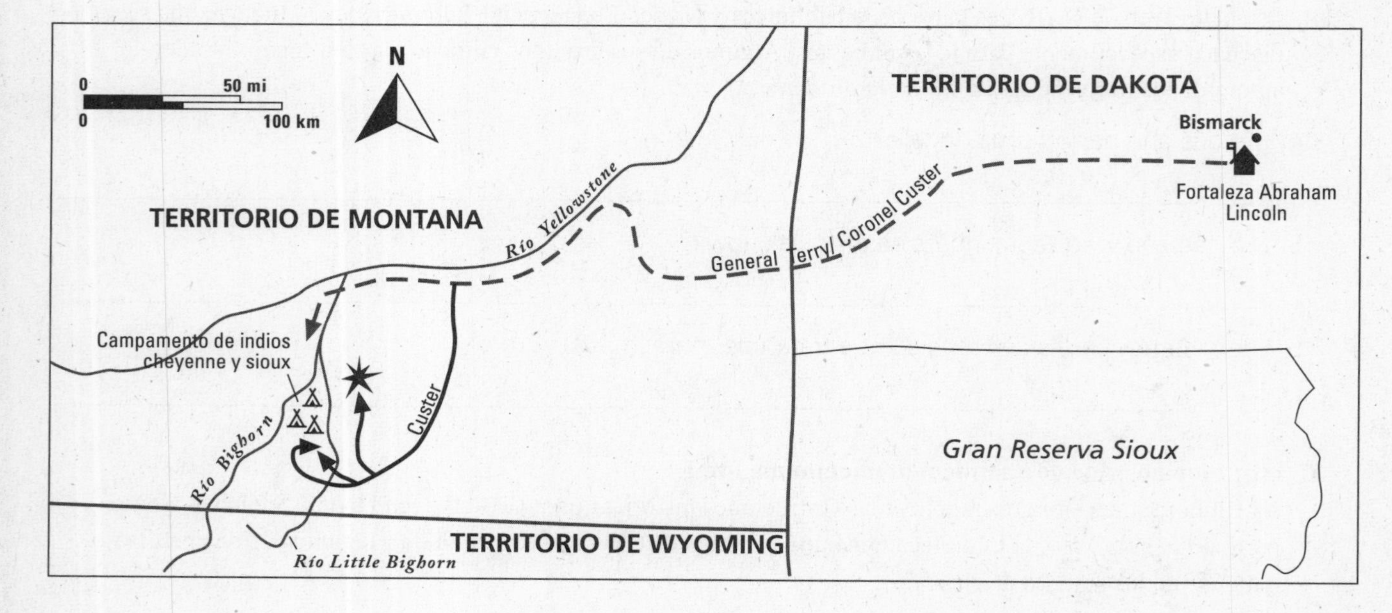

Copyright © McDougal Littell Inc.

Interpretar mapas y texto

1. ¿Qué causó conflicto en la reserva de los sioux en el territorio de Dakota en los años setenta del siglo XIX?

2. ¿Dónde estaba ubicado el fuerte Abraham Lincoln?

3. ¿En qué dirección se movieron los ejércitos de Terry y de Custer para hallar el campamento amerindio?

4. ¿Por qué dividieron sus fuerzas Terry y Custer?

5. ¿Entre qué ríos estaba ubicado el campamento de los sioux y los cheyene?

6. Vuelve a mirar el mapa de la batalla. ¿De qué manera te parece que apoya le teoría de que Custer seriamente subestimó el número de guerreros que confrontaría?

7. ¿Por qué no pudieron los batallones dirigidos por Reno y Benteen ir al rescate de Custer?

8. ¿Por qué te parece que el conflicto se llamó batalla del Little Big Horn?

Copyright © McDougal Littell Inc.

Nombre ______________________ Fecha ______________

Lectura guiada

A. Analizar causas Después de la guerra civil, Estados Unidos seguía siendo una nación mayormente rural. Para la década de 1920, se había convertido en la nación industrial líder del mundo. Este inmenso cambio fue resultado de muchos factores. Responde a las preguntas para dos de los factores.

→ **Factor 1: Recursos naturales abundantes**

1. ¿Qué recursos cumplieron una función crucial en la industrialización?	2. ¿Cómo Edwin L. Drake ayudó la industria a obtener grandes cantidades de petróleo?	3. ¿Cómo incrementó el proceso Bessemer la producción de acero?	4. ¿Qué usos nuevos del acero se desarrollaron en esta época?

→ **Factor 2: Creciente número de inventos**

5. ¿Cómo contribuyó Thomas Edison a este desarrollo?	6. ¿Cómo contribuyó Alexander Graham Bell?	7. ¿Cómo contribuyó Isaac Singer?	8. ¿Cómo contribuyó Christopher Latham Sholes?

B. Hallar ideas principales En el reverso de esta hoja, explica la importancia de los siguientes términos.

Patente　　Ciclo económico　　Generador

Copyright © McDougal Littell Inc.

Nombre ______________________ Fecha ______________

Lectura guiada

A. Comparar Mientras lees, toma notas sobre las dos compañías que construyeron el ferrocarril transcontinental.

Central Pacific	Union Pacific
______________________	______________________
______________________	______________________
______________________	______________________
______________________	______________________
______________________	______________________

B. Reconocer efectos Toma notas para responder a estas preguntas sobre el impacto de los ferrocarriles.

1. ¿Cómo afectaron los ferrocarriles la hora?	2. ¿Cómo afectaron los ferrocarriles la economía?
3. ¿Cómo cambiaron los ferrocarriles la población del Oeste?	4. ¿De qué manera los ferrocarriles le dieron a la gente el control sobre el medio?

Copyright © McDougal Littell Inc.

Nombre ______________________ Fecha ______________

Lectura guiada

A. Analizar causas Mientras lees esta sección, responde a las siguientes preguntas sobre los factores que llevaron al crecimiento de las grandes empresas.

a. ¿Qué factor?

b. ¿Cómo ayudó a las grandes empresas a crecer?

1. Corporación	a. b.
2. Monopolio	a. b.
3. Trust	a. b.

B. Comparar y contrastar Usa el cuadro para comparar y contrastar a John D. Rockefeller y Andrew Carnegie.

	Rockefeller	Carnegie
1. ¿Empezó su vida rico o pobre?		
2. ¿Qué industria controló?		
3. ¿Qué métodos usó para obtener el control?		
4. ¿Qué cosa buena intentó hacer por los demás?		

Copyright © McDougal Littell Inc.

Nombre ______________________ Fecha ______________

Lectura guiada

A. Hallar ideas principales Mientras lees sobre trabajo y administración, responde las siguientes preguntas.

1. ¿Qué condiciones llevaron a la creación de sindicatos laborales?

Sindicato obrero	¿Qué hizo este sindicato?
2. Caballeros del Trabajo	
3. Sindicato Estadounidense del Trabajo	
4. Federación Norteamericana del Trabajo	

Huelgas y violencia	¿Qué sucedió?
5. Huelga del ferrocarril, 1877	
6. Asunto Haymarket, 1886	
7. Huelga de Homestead, 1892	
8. Huelga Pullman, 1894	

Copyright © McDougal Littell Inc.

B. Analizar causas En el reverso de esta hoja, identifica quién era Mary Harris "mamá" Jones y por qué los obreros la querían.

Nombre ______________________ Fecha ______________________

Desarrollo de destrezas: Práctica

Usar un catálogo electrónico

Un catálogo electrónico es el programa de búsqueda computarizado de una biblioteca. Te puede ayudar a hallar información sobre los libros y los otros materiales de la biblioteca. Con frecuencia las bibliotecas tienen su catálogo electrónico en Internet. Para contestar las preguntas siguientes, **usa el catálogo electrónico** de tu escuela, tu biblioteca pública local o uno que se pueda encontrar en Internet. (Mira el Manual del desarrollo de destrezas, página R28.)

1. ¿Qué biblioteca usas?

2. ¿Usas el catálogo en persona o en Internet?

3. Mira la portada. ¿Te permite el sitio otras opciones aparte de buscar libros? Por ejemplo, ¿incluye listas de lecturas sugeridas, te permite renovar libros que has sacado prestados o tiene sitios especiales para los lectores jóvenes? Resume las opciones disponibles en el sitio.

4. El historiador Joseph Frazier Wall escribió una biografía premiada de Andrew Carnegie.¿La incluye en su colección esta biblioteca?

5. ¿Incluye la biblioteca libros por el escritor Matthew Josephson? Si es así, enuméralos.

6. ¿Incluye la biblioteca biografías de John D. Rockefeller? Si es así, enuméralas.

7. Si es posible, enumera tres libros de la colección de la biblioteca que incluyan en el título la palabra *filantropía*.

8. ¿Incluye la biblioteca un ejemplar de *La edad dorada*?

9. Enumera tres libros sobre el tema de la aparcería.

10. Indica el título y el número de catálogo de un libro noficción que te gustaría leer.

Copyright © McDougal Littell Inc.

Aplicación geográfica

Los recursos naturales y las industrias del petróleo y del acero

Una contribución importante al desarrollo de la industria estadounidense hacia fines del siglo XIX fue el aumento de la producción de petróleo y acero.

La primera corporación petrolera se creó para distribuir el petróleo que se descubrió flotando en el agua de un lago de Titusville, Pennsylvania. Luego la gente pensó en perforar en esa área para hallar petróleo. En 1859 por primera vez se sacó petróleo de dentro de la tierra. Pronto muchas áreas de la sección oeste de Pennsylvania se convirtieron en parcelas de torres de perforación. Aparecieron oleoductos para conectar a Titusville con una estación de ferrocarril a una distancia de cinco millas y, luego, con Pittsburgh, a 67 millas. Cleveland y otras ciudades con acceso al recurso natural del agua como medio de transporte se convirtieron en centros del refinado del petróleo.

El proceso de fabricar acero empieza calentando el mineral de hierro con coque ardiente. Como resultado la sección oeste de Pennsylvania estaba en una situación perfecta para ser también un líder inicial de la industria estadounidense del acero. Para 1889 se habían hallado grandes depósitos de mineral de hierro alrededor de los Grandes Lagos. Esto estableció a la región como un importante abastecedor de mineral de hierro. El mapa que sigue muestra la relación entre los recursos y la industria.

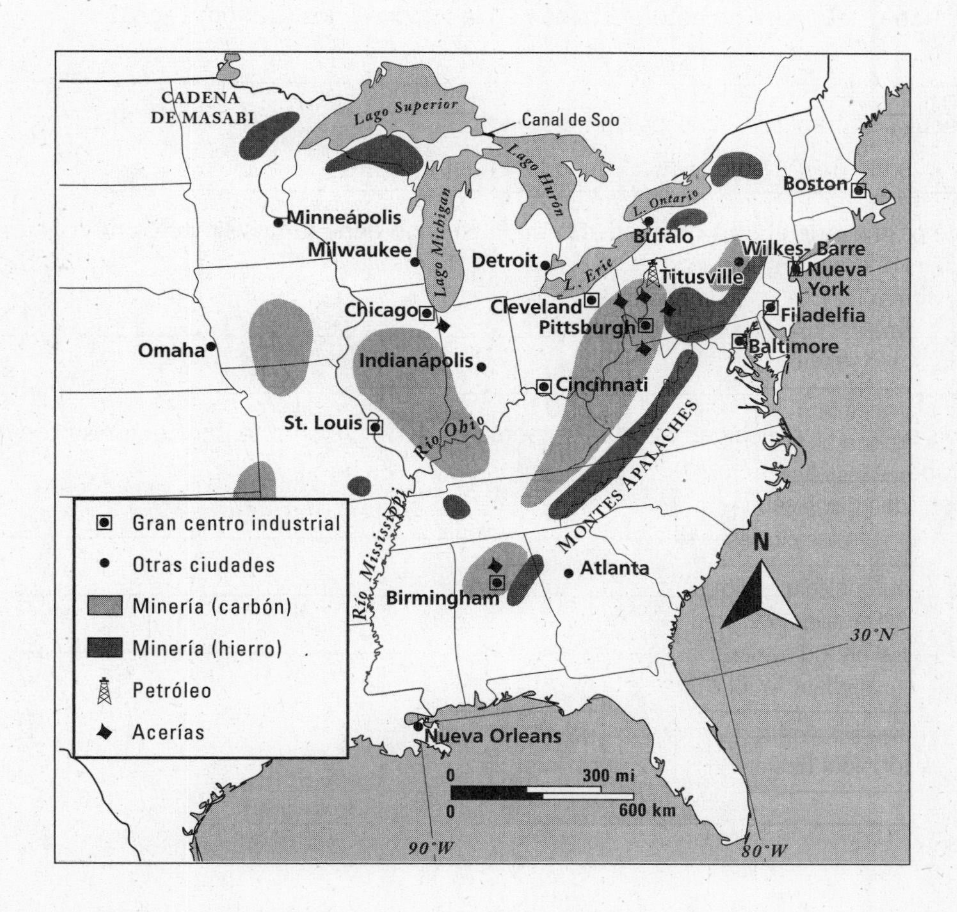

Copyright © McDougal Littell Inc.

Interpretar mapas y texto

1. ¿Cuáles son los cuatro recursos naturales que se hallan en este mapa?

2. ¿Qué hace que Pennsylvania sea excepcional entre las varias regiones del mapa?

3. ¿De qué manera trabajan juntos el mineral de hierro y el coque para producir acero?

4. ¿Qué recurso natural tienen en común todas menos una de las ciudades identificadas en el mapa como "Ciudad industrial importante"?

5. Aparte del agua, ¿qué recurso natural abunda en la región de los Grandes Lagos?

6. ¿En qué recurso natural son ricos los Montes Apalaches?

7. ¿Por qué te parece que el área de alrededor de Pittsburgh tiene tantos símbolos de fundiciones de acero?

8. El extremo sur del lago Michigan no tiene mineral de hierro. ¿Cómo te parece que se convirtió en sitio de fundiciones de acero?

Copyright © McDougal Littell Inc.

Nombre ______________________ Fecha ______________

Lectura guiada

A. Reconocer efectos Mientras lees esta sección, usa el siguiente cuadro para tomar notas sobre los efectos de la industrialización en las ciudades estadounidenses.

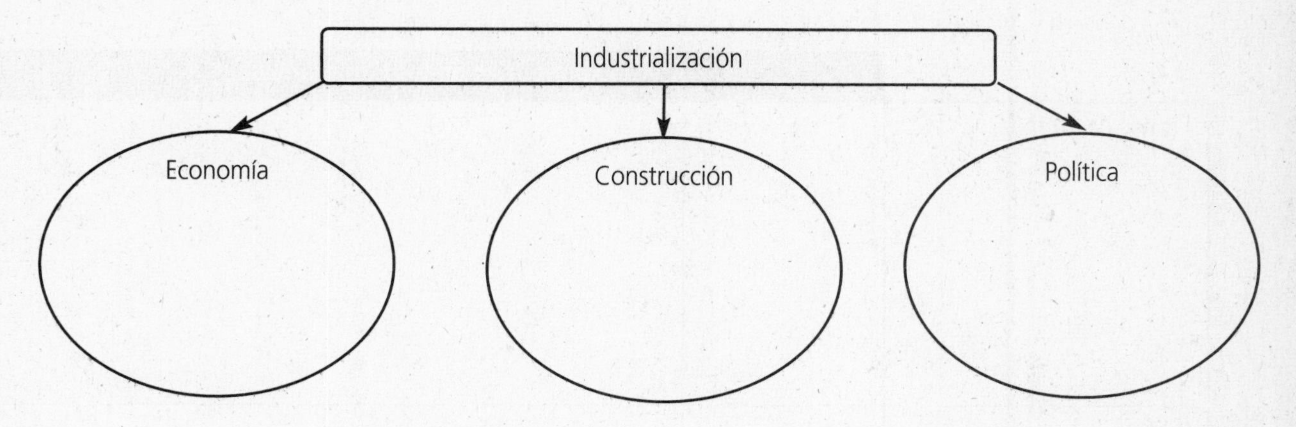

B. Identificar y resolver problemas Usa el siguiente cuadro para tomar notas sobre cómo la gente trataba los problemas importantes de las ciudades en Estados Unidos hacia 1900.

Problemas / Asuntos	Solución
1. Superpoblación	
2. Pobreza	
3. Immigración	

Copyright © McDougal Littell Inc.

Nombre ______________________ Fecha ______________

Lectura guiada

A. Comparar y contrastar Mientras lees esta sección, usa el siguiente cuadro para tomar notas sobre las experiencias de los nuevos inmigrantes.

	Experiencias de los Inmigrantes
Puntos de entrada	
Encontrar un hogar y un trabajo	
Asimilarse a la cultura estadounidense	
Enfrentar la Discriminación	

Copyright © McDougal Littell Inc.

B. Hallar ideas principales Usa el reverso de esta hoja para definir los siguientes conceptos Nuevos inmigrantes Crisol de culturas

Nombre ______________________ Fecha ______________

Lectura guiada

A. Hallar ideas principales Usa el siguiente cuadro para tomar notas sobre cómo los temas enumerados afectaron la igualdad racial hacia 1900.

	¿Qué era?	¿A quién o quiénes afectó?
1. Test de alfabetismo		
2. Impuesto al voto		
3. Cláusula del abuelo		
4. Leyes Jim Crow		
5. Segregación		
6. *Plessy* contra *Ferguson*		
7. NAACP		

B. Evaluar En el reverso de esta hoja, evalúa la función que cumplieron las siguientes personas en la oposición a la discriminación.

Booker T. Washington W. E. B. Du Bois Ida B. Wells

Copyright © McDougal Littell Inc.

Nombre ______________________ Fecha ______________

Lectura guiada

A. Reconocer efectos Usa el siguiente cuadro para tomar notas sobre cómo cada uno de los que allí aparecen contribuyeron al surgimiento de la cultura de masas en Estados Unidos, hacia 1900.

Actividad nueva	Efecto
Aumento de la educación	1.
Publicidad	2.
Ferias mundiales	3.
Deportes	4.
Cine	5.

B. Evaluar En el reverso de esta hoja, explica cómo cada una de las siguientes personas o cosas contribuyó al crecimiento de la cultura de masas.

Joseph Pulitzer	William Randolph Hearst	department stores
mail-order catalogs	vaudeville	ragtime

Copyright © McDougal Littell Inc.

Nombre ______________________ Fecha ______________

Desarrollo de destrezas: Práctica

Tomar notas

Tomar notas es el proceso de escribir las ideas y detalles importantes de un párrafo, pasaje o capítulo. Te ayuda a recordar lo que has leído. Lee el pasaje siguiente y toma notas sobre él. (Mira el Manual del desarrollo de destrezas, página R3.)

Tercera clase: Un viaje traumático llevaba a la tierra prometida

En un buque "tercera clase" se refiere a los compartimientos de bajo cubierta cercanos al timón, región sin luz ni ventilación. Y allí es donde viajaron más de noventa por ciento de los 10,339,000 inmigrantes que vinieron a Estados Unidos entre 1870 y 1895. El viaje en los grandes transatlánticos de la época, considerado por los ricos "la única manera de viajar", para los inmigranes tenía como equivalente la tercera clase, donde se los trataba como ganado. "Ni los oficiales ni los marineros los consideraban dignos del menor respeto".

Estos desvalidos pasajeros tenían que prepararse sus propias comidas. Normalmente el único lugar para cocinar que existía para varias centenas de personas eran dos cocinitas que medían cinco pies por cuatro pies. La mayoría dormía en el suelo y se consideraba afortunado quien conseguía un poco de paja, privilegiado el que podía ocupar una litera que consistía en tablones de cinco pies en hileras de a cuatro. Robert Louis Stevenson (un gran autor) escribió sobre la imposibilidad de mantener limpios a tercera clase o a sus pasajeros. Para él era un "oscuro infierno", con los ruidos y el vaivén del barco mezclado con las toses y las arcadas de los enfermos y el asustado llorisqueo de los niños. "La mayoría de los barcos eran destartalados y lentos (en 1869 al James Foster le tardó diez semanas desde Liverpool, Inglaterra, a Nueva York) y se conocían como buques fiebre o ataúdes flotantes. Hambrientos, apretujados en espacios superpoblados, los inmigrantes se iban debilitando a medida que progresaba el viaje.

de Otto L. Bettman, *Los buenos días pasados; ¡eran terribles!,* Nueva York, Random House, 1974, pág. 172.

Nota 1:

____

____

____

Nota 2:

____

____

____

Nota 3:

____

____

____

Nota 4:

____

____

____

Copyright © McDougal Littell Inc.

Aplicación geográfica

Inmigración, 1907

La inmigración europea de fines del siglo XIX y comienzos del XX produjo un cambio en la cultura estadounidense. Las personas que pasaban por la isla Ellis en aquella época eran los "inmigrantes nuevos". Eran de un tipo no visto antes en cantidades grandes. Eran católicos y judíos, no protestantes. Los inmigrantes venían principalmente del sur y del este de Europa y no del norte ni del oeste. Eran eslavos, serbios, italianos y húngaros.

Los inmigrantes nuevos tuvieron también un impacto económico. En 1907 se indicó que las personas nacidas en el exterior constituían catorce por ciento de la población de Estados Unidos. Al mismo tiempo, constituían la mitad de la fuerza obrera. Así que los inmigrantes nuevos se habían convertido en fuente de labor barata. Por ejemplo, en 1907 un obrero de Suecia ganaba unos $722 al año. Por otra parte, los trabajadores del sur de Italia y de Austria-Hungría ganaban un promedio de sólo unos $400 anuales. Los inmigrantes contrariaban a las organizaciones laborales estadounidenses. Éstas sentían que la labor barata de los inmigrantes quitaba empleo a los obreros nacidos en Estados Unidos y reducía sus salarios. A estas organizaciones les molestaba en especial el hecho de que sólo quince por ciento de los inmigrantes nuevos que ocupaban estos trabajos tenían experiencia industrial. El mapa siguiente da detalles del cambio en la composición de la inmigración a Estados Unidos.

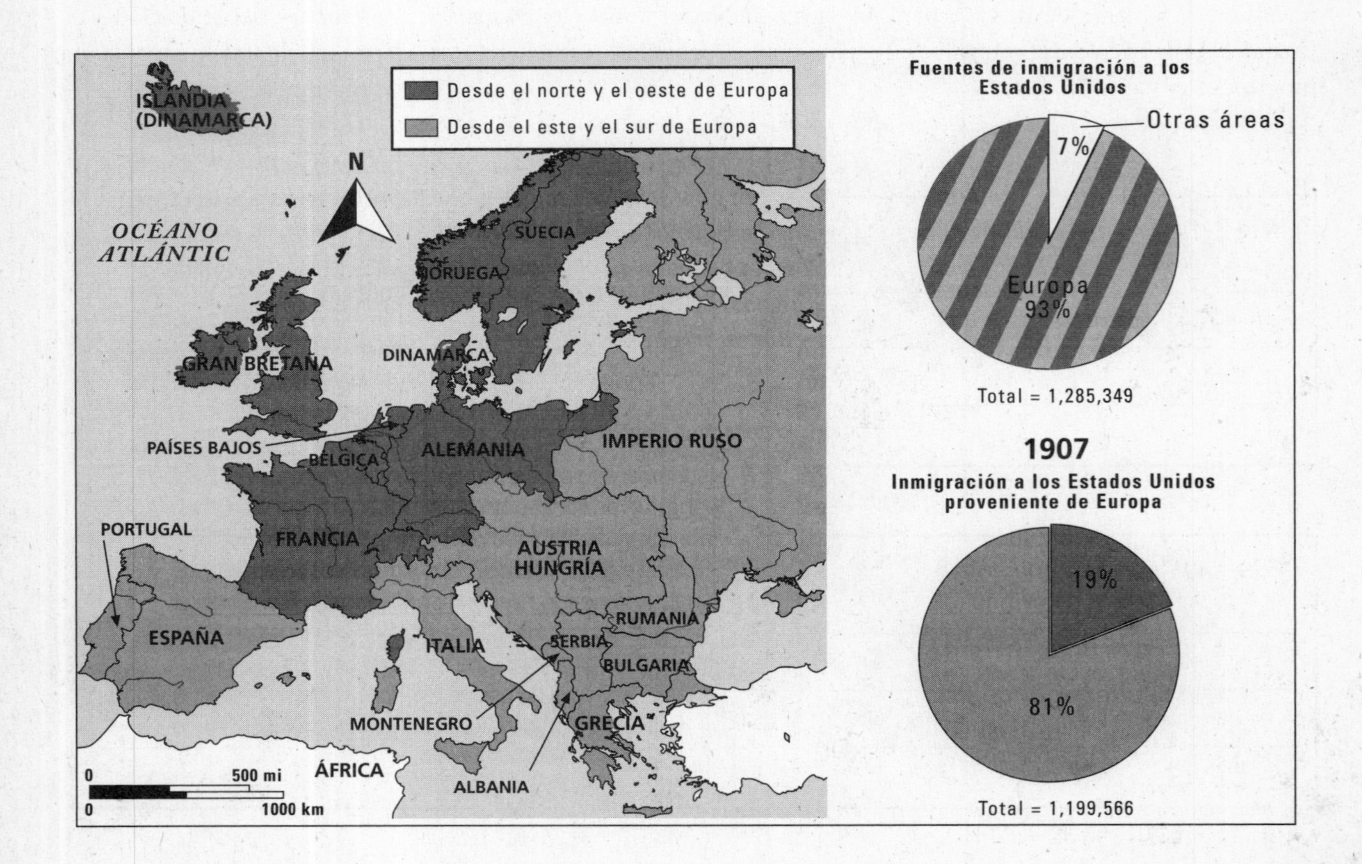

Copyright © McDougal Littell Inc.

Interpretar mapas y texto

1. Describe al inmigrante típico que llegó a Estados Unidos antes de fines del siglo XIX.

2. Describe a los "inmigrantes nuevos" que llegaron a Estados Unidos.

3. ¿Qué porcentaje de personas que emigraron a Estados Unidos en 1907 vinieron de Europa?

4. ¿Qué porcentaje de esos inmigrantes europeos vinieron de la Europa del norte y del oeste?

5. ¿En cuál de las dos regiones colocarías a los inmigrantes de Grecia?

   ¿Y uno de Alemania?

6. Un inmigrante de Gran Bretaña en 1907, ¿vino de una región de Europa que tenía la mayoría o la minoría de inmigrantes?

7. En general, ¿podía un inmigrante de Rusia esperar ganar más o menos que un inmigrante de Alemania?

8. ¿Aproximadamente cuántos inmigrantes llegados a EE.UU.en 1907 no vinieron de Europa?

Copyright © McDougal Littell Inc.

Nombre ______________________ Fecha ______________

Lectura guiada

A. Categorizar Mientras lees sobre la era de reforma, da varios ejemplos de cada uno de los tres objetivos básicos del progresismo.

1. Reformar al gobierno y expander la democracia.

2. Promover el bienestar social

3. Crear reforma económica

B. Tomar notas Mientras lees esta sección, escribe notas para contestar a preguntas sobre el presidente Theodore Roosevelt. Si Roosevelt no hizo nada para resolver el problema o si la resolución del problema no estaba conectada con legislación alguna, escribe "ninguno/a".

Problema	¿Qué medidas tomó Roosevelt para resolver cada problema?	¿Qué legislación ayudó a resolver el problema?
1. Trusts		
2. Alimentos y medicinas peligrosas		
3. Tierras deshabitadas y recursos naturales que disminuían		

C. Resumir En el reverso de esta hoja, explica la importancia de cada uno de los siguientes.

escritores basureros   ley Anti-trust Sherman   Theodore Roosevelt

Copyright © McDougal Littell Inc.

Nombre ______________________ Fecha ______________

Lectura guiada

A. Tomar notas Mientras lees sobre el acercamiento de Taft y de Wilson a la reforma, toma notas para contestar a las preguntas.

¿Cuáles eran los objetivos de cada ley o enmienda constitucional?
1. Enmienda Decimosexta
2. Enmienda Decimoséptima
3. Ley Anti-trust Clayton
4. Ley de la Reserva Federal
5. Enmienda Decimoctava

B. Resumir En el reverso de esta hoja, explica la importancia de William Howard Taft como progresista, presidente, republicano y presidente del Tribunal Supremo.

Copyright © McDougal Littell Inc.

Nombre ______________________ Fecha ______________

Lectura guiada

A. Tomar notas Mientas lees esta sección, toma notas sobre cada una de las mujeres siguientes.

1. Lillian Wald
2. Jane Addams
3. Charlotte Perkins Gilman
4. Carry Nation
5. Susan B. Anthony
6. Carrie Chapman Catt

B Resumir En el reverso de esta hoja, explica la importancia de la Enmienda Decimonovena.

Copyright © McDougal Littell Inc.

Nombre ______________________________ Fecha ______________

Desarrollo de destrezas: Práctica

Identificar y resolver problemas

Identificar problemas significa hallar y entender las dificultades que enfrenta un determinado grupo de gente durante cierto tiempo. **Resolver problemas** significa entender cómo esa gente trató de remediar esos problemas. Lee el pasaje siguiente sobre la industria de la carne de Chicago. Luego contesta a las preguntas que aparecen más abajo. (Mira el Manual del desarrollo de destrezas, página R17.)

Estaba bien hablar de la corrupción y la reforma, pero para muchos el tema parecía un poco abstracto y remoto. Se necesitó una novela, *La jungla,* escrita en 1906 por un escritor socialista llamado Upton Sinclair (1878 a 1968) para que el público sintiese la corrupción y la reforma, bien literalmente, en el estómago. Sinclair describió las dificultades de un tal Jurgis Rudkus, un inmigrante lituano que trabajaba en un frigorífico de Chicago. A través de los ojos de este oprimido y explotado obrero, Sinclair describió con asqueantes detalles los horrores de la industria moderna de la carne.

Para aumentar las ganancias, los dueños no vacilaban en usar en la preparación de los productos de carne, carne podrida, carne tuberculosa (enferma), los desperdicios del animal, hasta carne de ratas. A la cómoda clase media estadounidense tal vez le importara o no la explotación de un inmigrante lituano pobre, pero la idea de que los grandes negocios los estaban envenenando a ellos y a su familia les resultó realmente repugnante. Como resultado de la indignación motivada por *La jungla,* el Congresó aprobó la importantísima ley de la Pureza de Alimentos y Drogas unos meros seis meses después de la publicación de la novela.

De Alan Axelrod, *Guía de la historia estadounidense para el idiota completo,* Nueva York, Alpha Books of Macmillan General Reference, 1996, pág. 217.

1. Identifica dos problemas que aparecen en este pasaje.

____

____

2. ¿Qué problema se trató de solucionar en el pasaje? Explica.

____

____

3. ¿Qué problema no se trató de solucionar? Explica.

____

____

4. ¿Qué indicación da el autor, si es que la da, de por qué no se trató de solucionar el problema este?

____

____

Copyright © McDougal Littell Inc.

Aplicación geográfica

Las elecciones de 1912

Las elecciones de 1912 son de notar a causa del fallido intento de Theodore Roosevelt por volver a la política. Durante la primera década del siglo XX, no había habido figura política de más envergadura que Roosevelt. Pero en la segunda década le resultó imposible recapturar su popularidad.

Roosevelt era vicepresidente cuando en 1901 se asesinó al presidente McKinley. Roosevelt completó el mandato de McKinley. Luego, en 1904, ganó la presidencia por derecho propio. Este presidente republicano del "trato franco" destrozó monopolios e hizo campaña a favor de la conservación de la tierra hasta 1908. Aunque siguió siendo popular, ese año Roosevelt no se postuló para un segundo mandato electivo. Pero para preservar sus políticas progresistas había elegido a William Howard Taft como su sucesor republicano. Taft ganó las elecciones de 1908.

Para 1912 dentro del Partido Republicano se desarrolló una división. Taft se estaba haciendo pro-empresas. Esto enojó a Roosevelt , quien quiso regresar a la política republicana. Pero en junio de 1912 la convención nacional la controlaban los partidarios de Taft. A los delegados de Roosevelt no se les permitió participar en el proceso de hacer la decisión. En reacción, le pidieron a Roosevelt que se postulara como candidato de un partido nuevo. Roosevelt accedió a hacerlo. Muchos de sus partidarios abandonaron el Partido Republicano para seguirlo.

Roosevelt formó un partido nuevo, el Partido Progresista "Bull Moose", para postularse como presidente. Esta acción dividió los votos republicanos en noviembre. El total del voto popular por Roosevelt fue admirable para un candidato de tercer partido. Pero perdió por mucho en el voto electoral. Taft recibió sólo 8 votos electorales. Eugene Debs del Partido Socialista no recibió ninguno. Se eligió a Woodrow Wilson con el mayor margen del voto electoral de la historia hasta ese punto. El mapa siguiente detalla el voto electoral estado por estado.

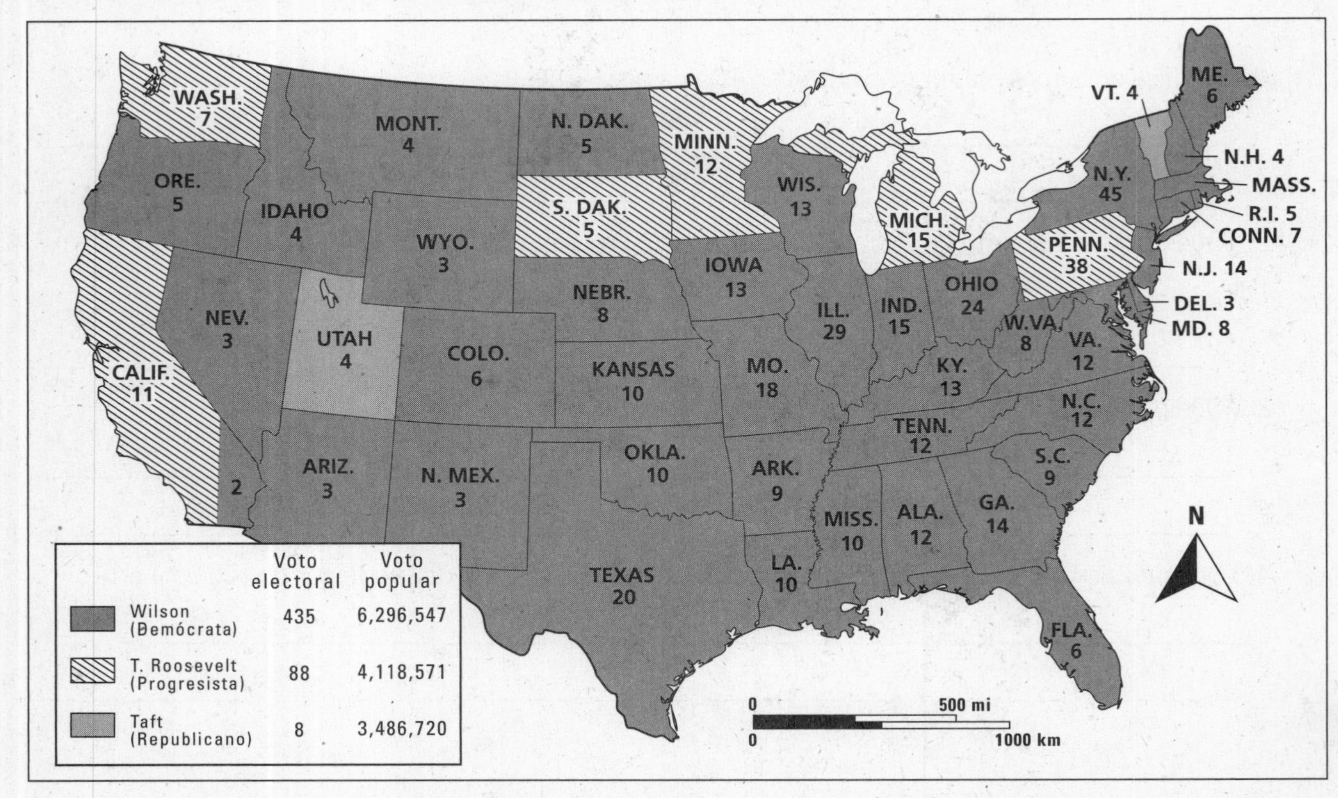

Copyright © McDougal Littell Inc.

Interpretar mapas y texto

1. ¿Por qué el ex-presidente Roosevelt no se volvió a postular como republicano para las elecciones presidenciales de 1912?

2. Entre los candidatos que recibieron votos electorales, ¿cómo terminó Roosevelt en las elecciones de 1912?

3. Describe las áreas de Estados Unidos que votaron sólidamente por Wilson.

4. ¿De qué estado vino casi la mitad de los votos electorales de Roosevelt?

5. ¿Qué dos estados dieron sus votos electorales a Taft?

6. Comparado con total del voto popular de Roosevelt, ¿cuántas veces fue mayor el total del voto popular de Wilson?

7. Comparado con total del voto electoral de Roosevelt, ¿cuántas veces fue mayor el total del voto electoral de Wilson?

8. Indica si estás de acuerdo o no con el siguiente enunciado y explica por que: En 1912 Taft se vio privado de la presidencia porque Roosevelt se postuló como candidato de un tercer partido.

Copyright © McDougal Littell Inc.

Nombre ______________________ Fecha ______________

Lectura guiada

A. Analizar causas Mientras lees esta sección, usa la tabla siguiente para explicar las razones principales de la emergencia de Estados Unidos como un poder imperial.

Raíces del imperialismo estadounidense		
1. Intereses económicos	2. Intereses militares	3. Creencia en una superioridad cultural

B. Hallar ideas principales Usa la tabla siguiente para describir el papel que desempeñó cada persona o grupo en la historia del envolvimiento estadounidense en Hawai.

Imperialismo estadounidense en Hawai	
Misioneros cristianos	
Hacendados estadounidenses	
Reina Liliuokalani	
Infantes de marina estadounidenses	
Benjamin Harrison	
Grover Cleveland	

C. Resumir En el reverso de esta hoja, explica cómo adquirió a Alaska Estados Unidos.

Copyright © McDougal Littell Inc.

Nombre ________________________________ Fecha ________________

Lectura guiada

A. Organizar la secuencia de los sucesos Mientras lees esta sección, usa la línea cronológica siguiente para registrar sucesos importantes de la guerra entre Estados Unidos y España.

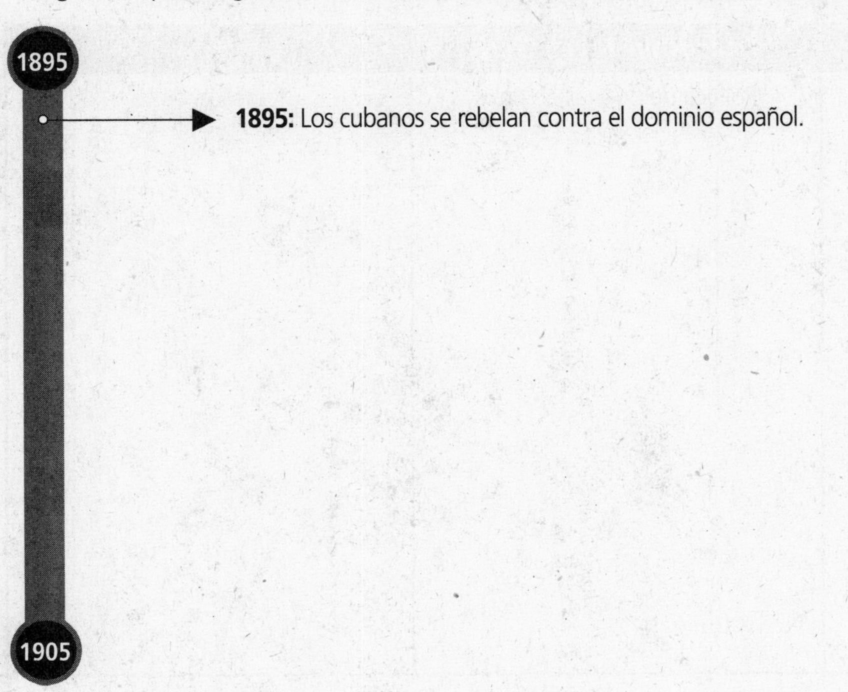

B. Analizar efectos Usa la tabla siguiente para registrar resultados importantes de la guerra entre Estados Unidos y España.

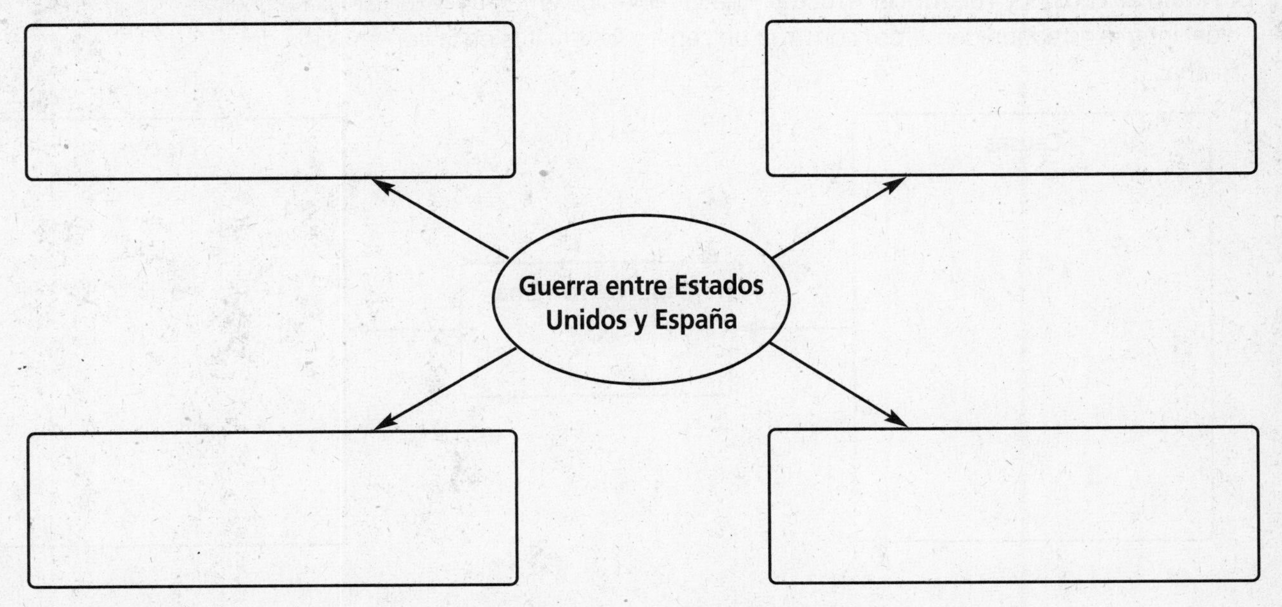

C. Analizar puntos de vista En el reverso de esta hoja, explica por qué los miembros de la Liga Anti-imperialista estaban desilusionados con la política exterior de Estados Unidos de fines del siglo XIX.

Copyright © McDougal Littell Inc.

Nombre ______________________________ Fecha ______________

Lectura guiada

A. Hallar ideas principales Usa la tabla siguiente para registrar información sobre el envolvimiento estadounidense en China.

Estados Unidos en China		
Esferas de influencia	Política de puertas abiertas	Rebelión bóxer

B. Analizar causas y reconocer efectos Usa la tabla siguiente para explicar las razones del interés estadounidense por construir un canal y los efectos de la construcción del canal.

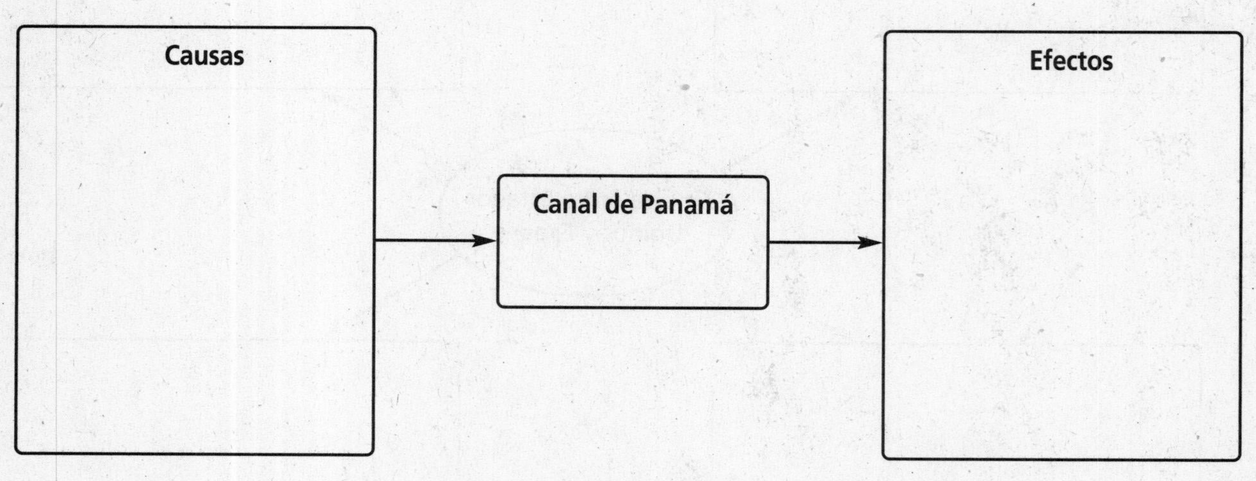

C. Resumir En el reverso de esta hoja, explica cómo Theodore Roosevelt cambió la Doctrina Monroe.

Copyright © McDougal Littell Inc.

Desarrollo de destrezas: Práctica

Identificar hechos y opiniones

Los hechos son los sucesos, fechas, estadísticas o enunciados que se puede probar que son verdaderos. Las opiniones son los juicios, creencias y sentimientos de un escritor u orador. **Identificar hechos y opiniones** puede ayudarte a razonar críticamente sobre libros, sucesos y cualquier cosa que pueda influir sobre tu opinión. Lee los siguientes enunciados sobre la guerra entre Estados Unidos y España. Decide si consideras a cada uno hecho u opinión. Escribe **H** delante de cada hecho y **O** delante de cada opinión. (Mira el Manual del desarrollo de destrezas, página R15.)

_______ 1. El buque estadounidense U.S.S. *Maine* explotó el 15 de febrero de 1898.

_______ 2. El *Maine* no debería haber estado en el puerto de La Habana para esa fecha.

_______ 3. El hundimiento del *Maine* fue el peor suceso para Estados Unidos durante el último cuarto del siglo XIX.

_______ 4. En el desastre del *Maine* murieron unas 260 personas.

_______ 5. Los historiadores no están de acuerdo sobre qué causó la explosión.

_______ 6. La explosión la causó un accidente de a bordo.

_______ 7. Después del hundimiento del *Maine*, aumentaron las demandas de guerra.

_______ 8. El hundimiento del *Maine* causó que Estados Unidos le declarase la guerra a España.

_______ 9. Se hizo famoso el eslogan "¡Recuerden el *Maine*!"

_______ 10. Los estudiantes de la actualidad deben aprender acerca del hundimiento del *Maine*.

_______ 11. El Partido Republicano estaba dividido sobre la idea de declarar la guerra.

_______ 12. McKinley era un veterano de la guerra civil que recordaba los horrores de la guerra.

_______ 13. Los líderes republicanos que demandaban la guerra con España lo hacían porque eran muy jóvenes para haber luchado en la guerra civil.

_______ 14. En la guerra murieron unos 5,5000 estadounidenses, mayormente de enfermedades e intoxicación.

_______ 15. Si Mckinley hubiera esperado un poco más, podría haber negociado la libertad para Cuba sin una guerra.

_______ 16. El tratado que puso fin a la guerra entre Estados Unidos y España se firmó el 10 de diciembre de 1898.

_______ 17. De acuerdo al tratado, España perdió el control de Cuba.

_______ 18. El tratado de paz dio a Estados Unidos el control de las Filipinas, Puerto Rico y Guam.

_______ 19. La victoria en la guerra convirtió a Estados Unidos en un poder global por la primera vez.

_______ 20. Ganar la guerra causó a Estados Unidos muchos problemas años más tarde.

Copyright © McDougal Littell Inc.

Aplicación geográfica

Pancho Villa incursiona en New Mexico

En 1916 el revolucionario mexicano Pancho Villa estaba envuelto en una guerra civil. Sus tropas estaban luchando contra las de Venustiano Carranza, el presidente de México.

En enero de 1916 al oeste de Chihuahua, México, las fuerzas de Villa mataron a 16 ingenieros de minería estadounidenses. Carranza los había invitado a México a revivir unas minas abandonadas. Luego, en marzo, los hombres de Villa cruzaron a Estados Unidos. Asaltaron un puesto militar en Columbus, New Mexico, a poca distancia de la frontera. Los hombres se escaparon de vuelta a México después de prenderle fuego al pequeño pueblo. Murieron diecinueve estadounidenses. Seis días más tarde el gobierno mexicano, a regañadientes, permitió que una contrafuerza de 12,000 soldados estadounidenses entraran en México. El ejército del general John Pershing buscó a Villa por once meses sin lograr encontrarlo.

Villa puede haber atacado a New Mexico para provocar la intervención de Estados Unidos en México y causar la caída de Carranza. (La matanza de los ingenieros no había causado la intervención de Estados Unidos.) Algunos sentían que Villa y su ejército revolucionario necesitaban suministros bélicos desesperadamente. El ataque sorpresa a Columbus hizo muy fácil apoderarse de armas.

Sea cual fuere la razón de Villa, a causa del incidente Estados Unidos y México se encontraron al borde de la guerra. Pershing persiguió a Villa mucho más hacia el interior de México de lo que había esperado el gobierno mexicano. Pronto las fuerzas estadounidenses parecían más un ejército de ocupación que de persecución. Un enfrentamiento era inevitable.

En Parral, México, una batalla entre soldados mexicanos y soldados estadounidenses causó bajas en ambos lados. Carranza demandó que las tropas de Estados Unidos salieran del territorio mexicano. El tenso enfrentamiento se calmó finalmente cuando las tropas estadounidenses empezaron a irse en enero de 1917. Estados Unidos estaba por entrar en la primera guerra mundial en Europa. Necesitaba tropas con experiencia.

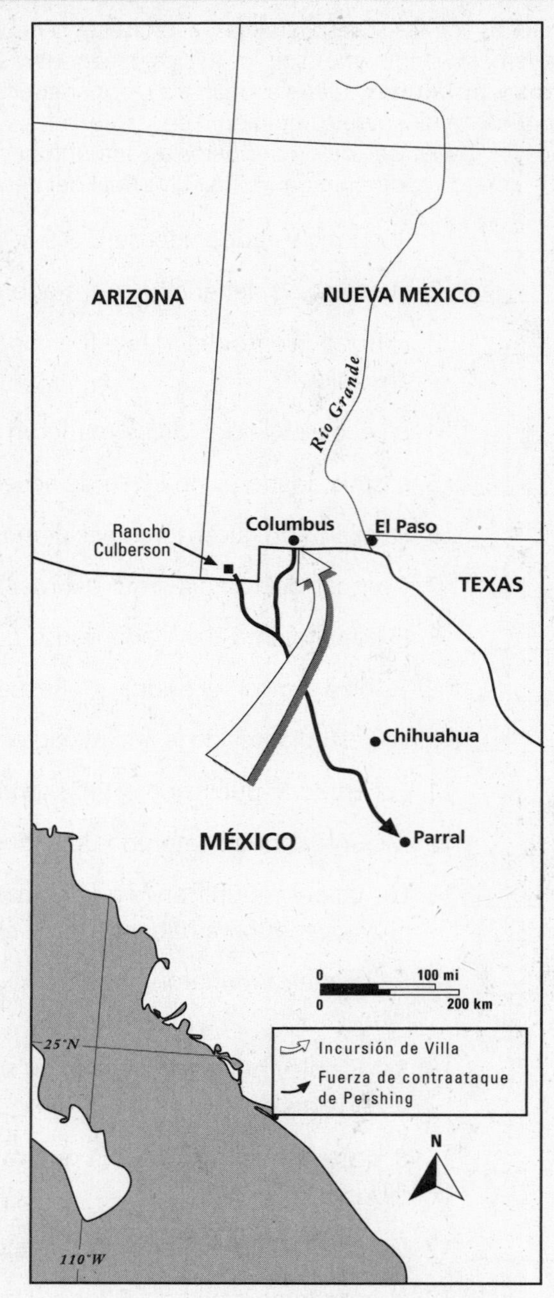

En 1920 Villa se retiró. Se fue a vivir en un rancho de Parral. En 1923 lo asesinaron allí enemigos mexicanos. El mapa de la derecha muestra dónde tuvieron lugar estos sucesos provocados por Villa.

Copyright © McDougal Littell Inc.

Interpretar mapas y texto

1. ¿Qué pasó cerca de Chihuahua, México, en 1916?

2. Describe la ubicación de Columbus.

3. ¿Qué pasó allí en 1916?

4. ¿Quién dirigió al ejército que buscaba a Villa?

5. ¿Desde qué lugares de Estados Unidos viajaron a México las fuerzas estadounidenses combinadas?

6. ¿Por qué es Parral, México, doblemente importante?

7. ¿Aproximadamente hasta qué distancia entraron las fuerzas estadounidenses en el norte de México antes de chocar con las fuerzas del gobierno mexicano?

8. Si hubiera estallado una guerra con México, ¿qué estados de Estados Unidos probablemente habrían sido los afectados más directamente?

Copyright © McDougal Littell Inc.

Nombre ______________________ Fecha ______________

Lectura guiada

A. Analizar causas Mientras lees la páginas 679 y 680, anota en el cuadro cómo cada una de las causas siguientes llevó a la primera guerra mundial.

1. Imperialismo	2. Nacionalismo	3. Militarismo	4. Alianzas	5. Asesinato del Archiduque

B. Contrastar Mientras lees las páginas 680 y 681, completa la tabla. Describe el estilo nuevo de guerra y las nuevas armas que hicieron que la primera guerra mundial fuera diferente de las guerras anteriores.

Guerra de trincheras	Nuevas armas

C. Organizar la secuencia de los sucesos En el reverso de esta hoja, haz una línea cronológica que muestre cuatro sucesos que hayan llevado a Estados Unidos a declarar la guerra a Alemania. Empieza en mayo de 1915.

Copyright © McDougal Littell Inc.

Nombre ______________________ Fecha ______________

Lectura guiada

A. Hallar ideas principales Mientras lees esta sección, responde a las preguntas siguientes sobre la experiencia estadounidense en la primera guerra mundial.

1. ¿Cómo reclutó Estados Unidos un ejército y una marina?
2. ¿Cómo sirvieron las mujeres y los afroamericanos en la guerra?
3. ¿Cómo ayudaron los oficiales navales de Estados Unidos a los aliados?
4. ¿Cómo ayudaron las tropas terrestres de Estados Unidos a los aliados?
5. ¿Quiénes fueron algunos de los héroes de guerra estadounidenses?
6. ¿Qué puso fin a la guerra?
7. ¿Cuáles fueron los costos humanos de la guerra?

B. Analizar puntos de vista Si hubieras sido un soldado afroamericano, ¿cómo te hubieras sentido luchando al otro lado del océano durante la guerra? Responde en el reverso de esta hoja.

Copyright © McDougal Littell Inc.

Nombre ______________________________ Fecha ______________

Lectura guiada

A. Reconocer efectos Mientras lees las páginas 691 a 693, responde a las siguientes preguntas acerca de la vida de los civiles estadounidenses durante la primera guerra mundial.

1. ¿Cómo recaudó el gobierno de Estados Unidos dinero para pelear en la guerra?	2. ¿Cómo obtuvo el gobierno suficiente comida y provisiones para enviar a Europa?
3. ¿Cómo consiguió el gobierno que la gente apoyara la guerra?	4. ¿Cómo reaccionó el gobierno ante las actividades contra la guerra?

B. Comparar Mientras lees las páginas 693 y 694, completa la siguiente tabla. Anota los efectos económicos de la guerra sobre los afroamericanos, los mexicanos y las mujeres. Debajo de la tabla, explica brevemente cómo sus experiencias fueron similares.

Afroamericanos	Mexicanos	Mujeres

C. Formar opiniones y apoyarlas En el reverso de esta hoja, escribe si estás de acuerdo o no con la decisión de la Corte Suprema en Schenck contra Estados Unidos. Da las razones de tu opinión.

Copyright © McDougal Littell Inc.

Nombre ______________________ Fecha ______________

Lectura guiada

A. Hallar ideas principales Mientras lees acerca de los resultados de la guerra en las páginas 695 y 696, anota lo que propuso el presidente Wilson en sus Catorce puntos y lo que exigieron las naciones europeas en el Tratado de Versalles.

1. Catorce puntos	2. Tratado de Versalles
3. ¿Qué tenían en común los dos planes de paz?	

B. Analizar causas La crisis de la posguerra hizo que los estadounidenses quisieran un "regreso a la normalidad". Mientras lees las páginas 697 y 698, anota brevemente cómo cada conjunto de sucesos perjudicó al país.

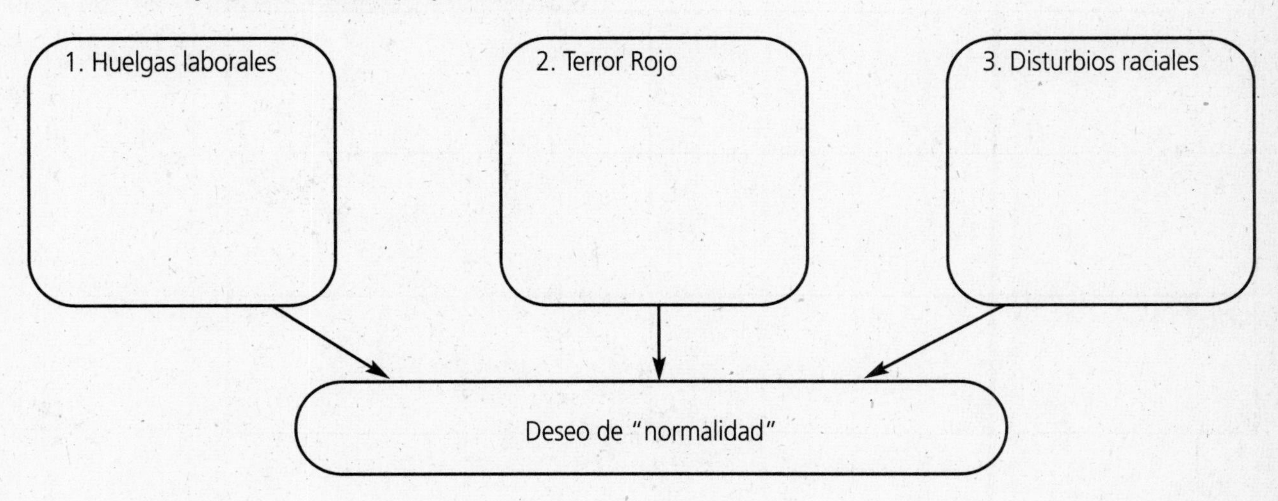

C. Tomar decisiones Si hubieras sido un senador de Estados Unidos en 1919, ¿habrías votado a favor o en contra del Tratado de Versalles y la Liga de las Naciones? Explica tu decisión en el reverso de esta hoja.

Copyright © McDougal Littell Inc.

Desarrollo de destrezas: Práctica

Reconocer efectos

Un efecto es el suceso histórico que es resultado de una causa o causas específicas. **Reconocer efectos** significa que un lector puede entender el resultado de un suceso histórico leyendo un libro, un artículo o un discurso. Generalmente los sucesos históricos tienen muchos efectos. Lee el pasaje siguiente sobre la primera guerra mundial. Luego usa la tabla que aparece más abajo para enumerar cuatro efectos de la guerra. Para cada efecto indentifica una causa posible. (Mira el Manual del desarrollo de destrezas, página R10.)

Durante la primera guerra mundial sirvió en los ejércitos y las armadas combatientes un total de 65 millones de hombres y mujeres. De este número, por lo menos 10 millones murieron y 20 millones resultaron heridos. De los 2 millones de tropas estadounidenses que lucharon, murieron 112,432, y resultaron heridos 230,074. Para Estados Unidos el costo monetario de la guerra fue equivalente a más de 32 mil millones de dólares actuales (de 1996).

Con lo mortal que eran las balas, los obuses y el gas tóxico, una epidemia de influeza producida por las sucias condiciones de vida de guerra resultó ser aún más terrible. Aproximadamente mitad de las muertes de las tropas estadounidenses las causó la influenza. Después de la guerra la epidemia iba a crecer a proporciones de pandemia y matar unos 21.64 millones de personas por todo el mundo. Esto respresentaba un por ciento de la poblacón mundial. En Estados Unidos se enfermó veinticinco por ciento de la nación y murieron 500,000.

de Alan Axelrod, *Guía de la historia estadounidense para el idiota completo,*
Nueva York, Alpha Books of Macmillan General Reference, 1996, pág. 232.

Efectos	Causa posible
Efecto 1:	
Efecto 2:	
Efecto 3:	
Efecto 4:	

Copyright © McDougal Littell Inc.

Aplicación geográfica

La ofensiva de Meuse-Argonne

En mayo de 1918 entró en la guerra de Europa la fuerza mayor de soldados estadounidenses. Esto ayudó a aumentar la fuerza de las tropas aliadas. Pronto, desde el canal de la Mancha hasta Verdún los aliados estaban expulsando de Francia a los alemanes. El hecho de que los alemanes estuvieran en retirada no significaba que la guerra se hubiera terminado. Los alemanes lucharon muy duro mientras se retiraban, y todavía esperaban a las fuerzas aliadas bajas severas.

La sección estadounidense de las fuerzas aliadas estaba estacionada a lo largo de las 25 millas de la línea del frente sur en Francia. Estaba concentrada entre el río Meuse y el bosque de Argonne. Las fuerzas francesas estaban a los dos lados. El objetivo aliado era ir hacia el norte a Sedan, un centro de ferrocarril que servía como la principal línea de suministro de las fuerzas alemanas. El 26 de septiembre el Primer Ejército de Estados Unidos, con nueve divisiones, empezó el ataque. Delante tenían casi quinientas millas cuadradas de acantilados, barrancos y bosques. La región del bosque de Argonne era una tupida expansión de árboles enmarañados y espeso sotobosque. Por todas partes había agujeros causados por los proyectiles. Por semanas tuvieron una lluvia liviana y neblina intermitente. Al final 1,200,000 tropas estadounidenses participaron en la batalla, que duró 47 días. Finalmente, a principios de noviembre, los estadounidenses y los franceses entraron en las afueras de Sedan. Los alemanes se rindieron el 11 de noviembre y la cruenta guerra había terminado. El mapa siguiente muestra detalles del empuje final.

El costo humano de la ofensiva de Meuse-Argonne fue muy grande. Los conductores de ambulancia y las enfermeras trabajaron sin parar. Murieron o quedaron heridos unos 120,000 soldados estadounidenses. En la actualidad, a 26 millas al noroeste de Verdún, se pueden ver los 130 acres del Cementerio Estadounidense de Meuse-Argonne. Están enterrados allí más de 14,000 estadounidenses. Es el mayor número de estadounidenses muertos en cualquier lugar de Europa.

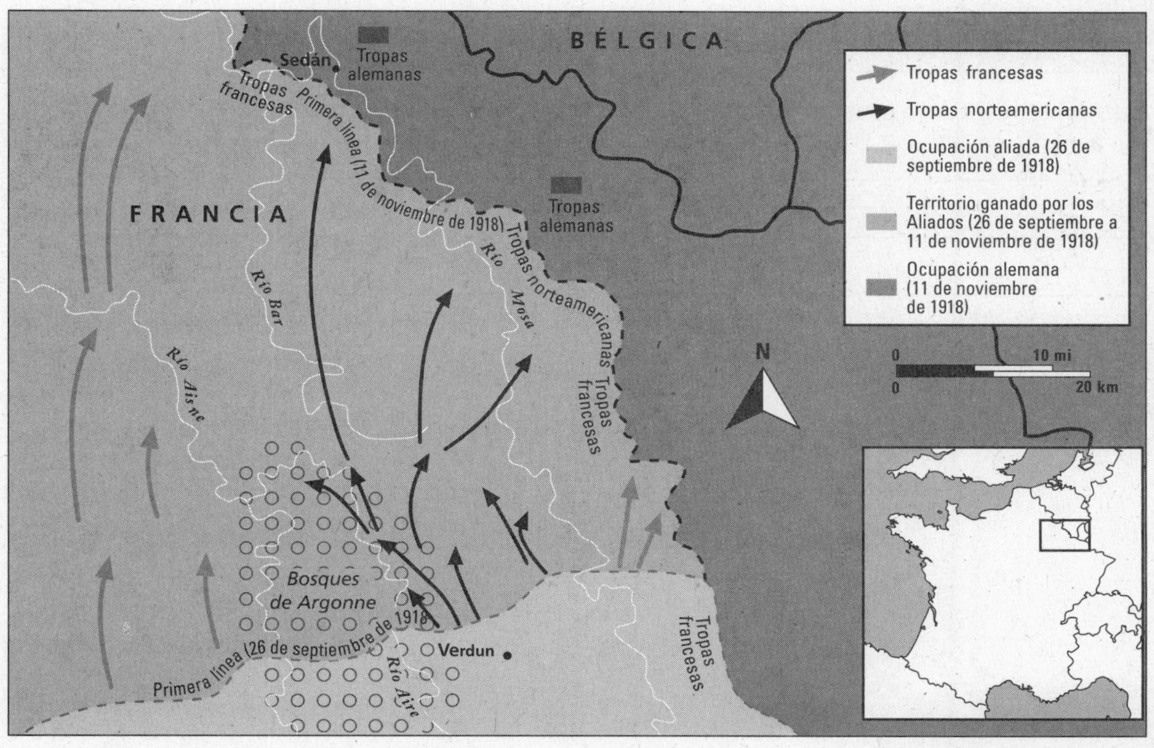

Copyright © McDougal Littell Inc.

Interpretar mapas y texto

1. ¿En qué país ocurrió la lucha?

2. ¿De qué tomó su nombre esta ofensiva de la primera guerra mundial?

3. ¿En qué dirección empujaron las tropas estadounidenses al ejército alemán?

4. Describe la ubicación del objetivo de Estados Unidos en la campaña de Meuse-Argonne.

   ¿Aproximadamente a cuántas millas estaba de la línea del frente del 26 de septiembre?

5. ¿Cuáles fueron las fechas de la lucha?

6. ¿Aproximadamente cuántas millas cuadradas ganaron los aliados con la ofensiva?

7. ¿Qué porcentaje de tropas estadounidenses de la ofensiva de Meuse-Argonne murieron o quedaron heridos?

8. ¿Qué existe hoy como prueba del gran desperdicio de vidas de la ofensiva de Meuse-Argonne?

Copyright © McDougal Littell Inc.

Nombre ______________________ Fecha ______________

Lectura guiada

A. Reconocer efectos Mientras lees esta sección, completa la segunda columna con una descripción del efecto sobre la vida estadounidense de los inventos y tendencias enumeradas en la primera columna.

Invento o tendencia	Efectos del invento o tendencia
1. Autos	
2. Aviones	
3. Combustible barato	
4. Publicidad modena	
5. Compra en cuotas	

B. Resumir En el reverso de esta hoja, resume brevemente las políticas comerciales de los presidentes Warren G. Harding y Calvin Coolidge.

Copyright © McDougal Littell Inc.

Nombre ______________________ Fecha ______________________

Lectura guiada

A. Hallar ideas principales Mientras lees esta sección, completa el siguiente diagrama con las ideas principales sobre los cambios en la sociedad estadounidense en los locos años veinte.

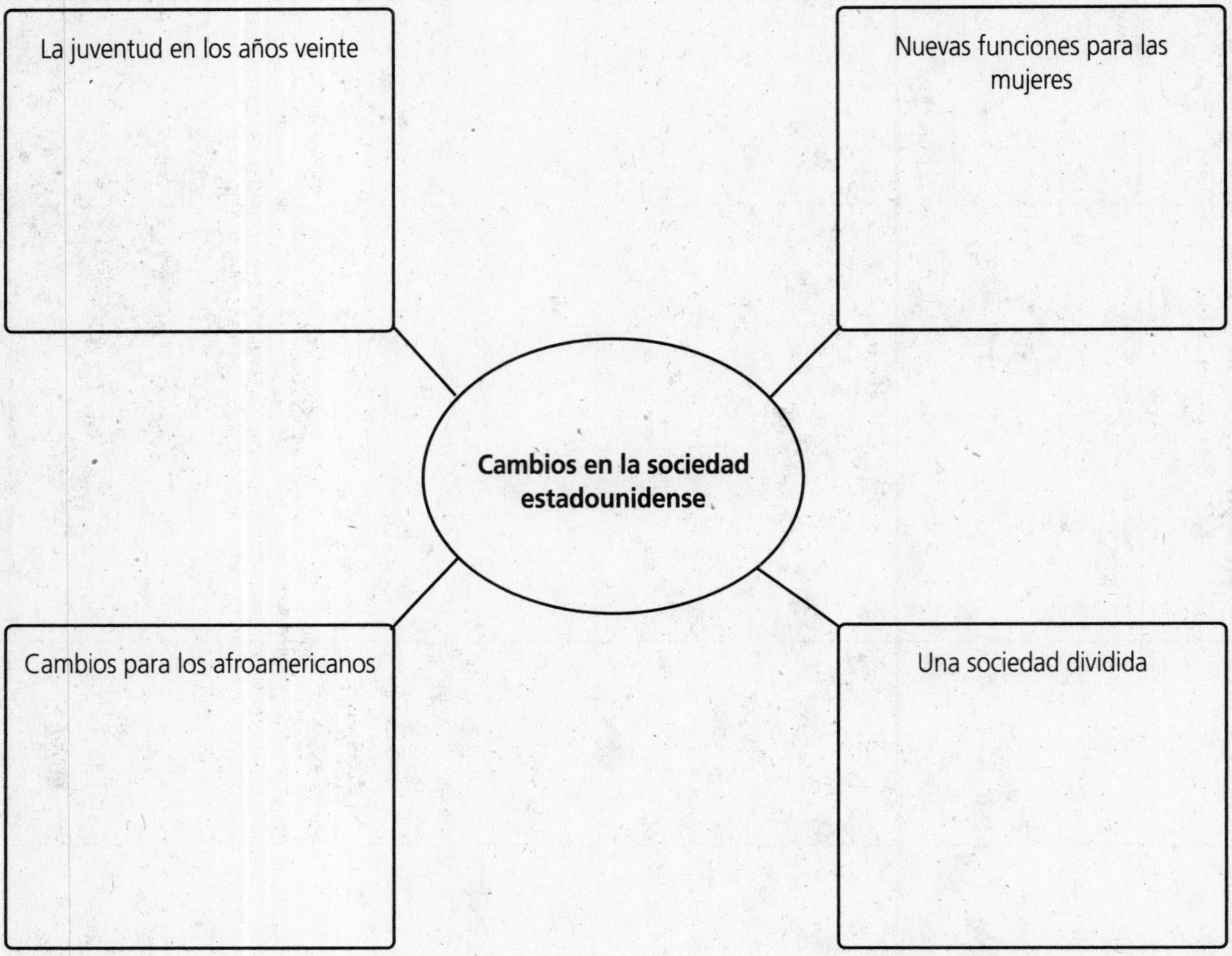

Cambios en la sociedad estadounidense

La juventud en los años veinte

Nuevas funciones para las mujeres

Cambios para los afroamericanos

Una sociedad dividida

B. Sacar conclusiones En el reverso de esta hoja, responde a la pregunta: ¿Cómo cambió a la sociedad la prohibición?

Copyright © McDougal Littell Inc.

Nombre ______________________ Fecha ______________

Lectura guiada

A. Categorizar Mientras lees esta sección sobre cómo se desarrolló la cultura popular de Estados Unidos en los años veinte, da ejemplos en cada área de cultura popular.

1. Cine	2. Libros y revistas
3. Radio	4. Deportes
5. Música	6. Literatura

B. Resumir En el reverso de esta hoja, explica brevemente la importancia de cada uno de los siguientes términos en el desarrollo de la cultura popular de los años veinte.

Medios de comunicación masiva Renacimiento de Harlem
Generación perdida

Copyright © McDougal Littell Inc.

Nombre ______________________ Fecha ______________

Desarrollo de destrezas: Práctica

Hacer generalizaciones

Hacer generalizaciones significa que un lector hace juicios amplios basado en la información disponible. Los historiadores hacen generalizaciones sobre las tendencias y los patrones históricos. Lee los sucesos de la línea cronológica siguiente y las generalizaciones que aparecen más abajo. Sigue las instrucciones para completar la tabla. (Mira el Manual del desarrollo de destrezas, página R19.)

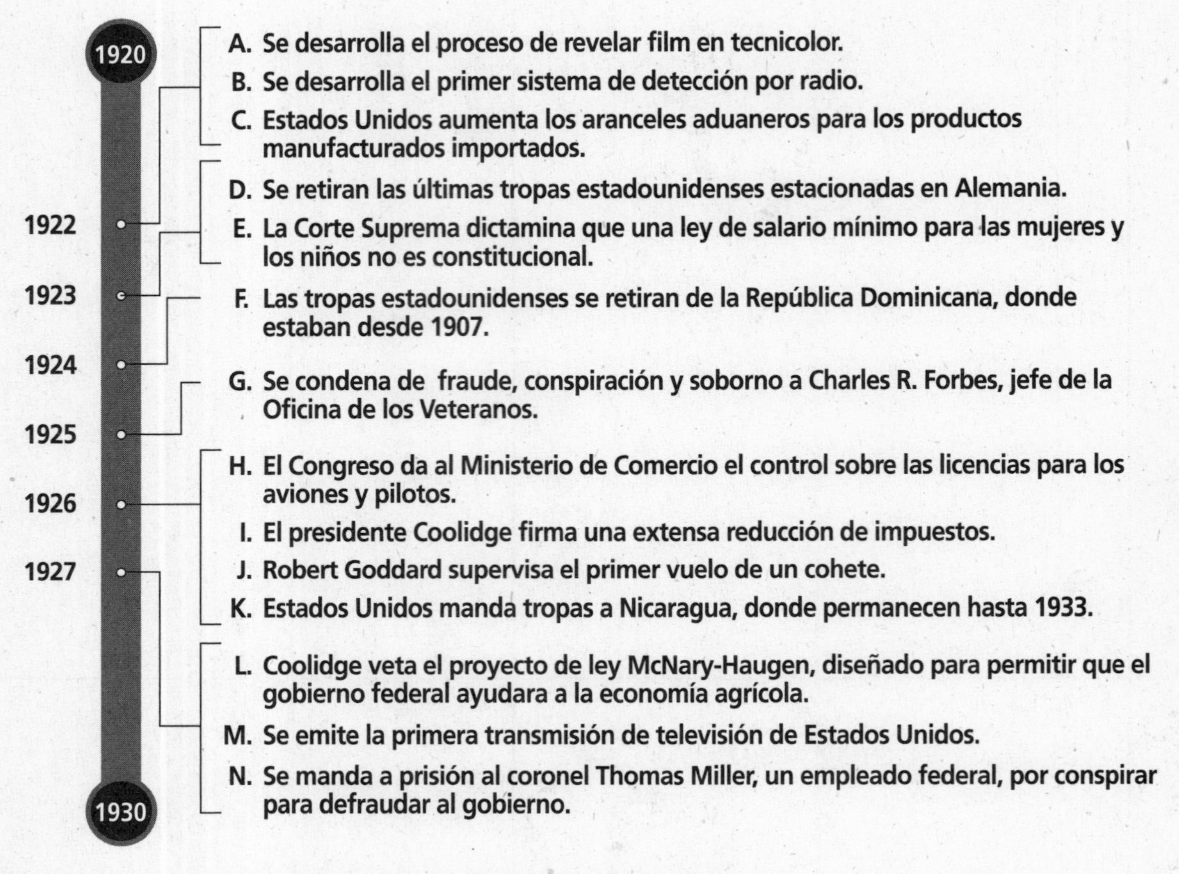

Escribe la letra de cada entrada a la derecha de la generalización que apoya.

Generalización	Enunciados de apoyo
1. Los años veinte fueron una época de escándalos políticos.	
2. Los años veinte fueron una época de "dejad hacer" en los negocios, durante la cual el gobierno redujo los impuestos y los controles.	
3. Harding y Coolidge creían que Estados Unidos se debía mantener apartado de los asuntos de las otras naciones, excepto en caso de defensa propia.	
4. Los triunfos tecnológicos más importantes de los años veinte ocurrieron en las áreas de procesar y comunicar información.	

Copyright © McDougal Littell Inc.

Nombre ______________________ Fecha ______________

Aplicación geográfica

El histórico vuelo del "Afortunado Lindy"

Todo empezó en 1919. Un comerciante de Nueva York ofreció un premio de $25,000 a la primera persona que volara solo y sin parar de Nueva York a París. Durante los siete años siguientes, varios pilotos, estadounidenses y europeos, murieron tratando de ganar el dinero. Luego, en 1927, un piloto desconocido cuyo trabajo era llevar el correo por avión entre St. Louis y Chicago intentó el vuelo.

El piloto era Charles Lindbergh. El dinero que le hacía falta para un avión especial se lo dieron unos comerciantes de St. Louis. Así que llamó *Espíritu de St. Louis* a su avión. Entonces una empresa de San Diego construyó el avión. Partió para St. Louis el 10 de mayo y pasó allí la noche. Al día siguiente voló a Long Island, New York. Allí pasó una semana esperando que se compusiera el tiempo. Finalmente el 20 de mayo partió para París. Lindbergh aterrizó 33 horas y media más tarde entre las ovaciones de miles de parisienses "locos de alegría". Lindbergh había volado 3,600 millas. Los franceses lo honraron con medallas. Siguió vuelo a dos capitales europeas más para más celebraciones. Ahora era el 30 de mayo. Lindbergh quería ir de vuelta a Long Island en su avión por el este. Pero el presidente Calvin Coolidge quería tener al "Afortunado Lindy" de vuelta en Estados Unidos lo más pronto posible para honrarlo con celebraciones. Un desilusionado Lindbergh abandonó sus planes de un viaje alrededor del mundo. Voló en su avión a Gosport, Inglaterra, la última parada no oficial de su aventura. El siguiente mapa muestra la ruta de Lindbergh desde San Diego a Gosport.

En Gosport, se desmanteló el *Espíritu de St. Louis,* se lo embaló y colocó a bordo del crucero estadounidense *Memphis.* El 4 de junio Lindbergh y su avión partieron por buque para Washington. D.C., y llegaron el 11 de junio. Dos días más tarde estaba en el centro de un gigantesco desfile triunfal en la ciudad de Nueva York. Tres días después recibió su cheque por $25,000.

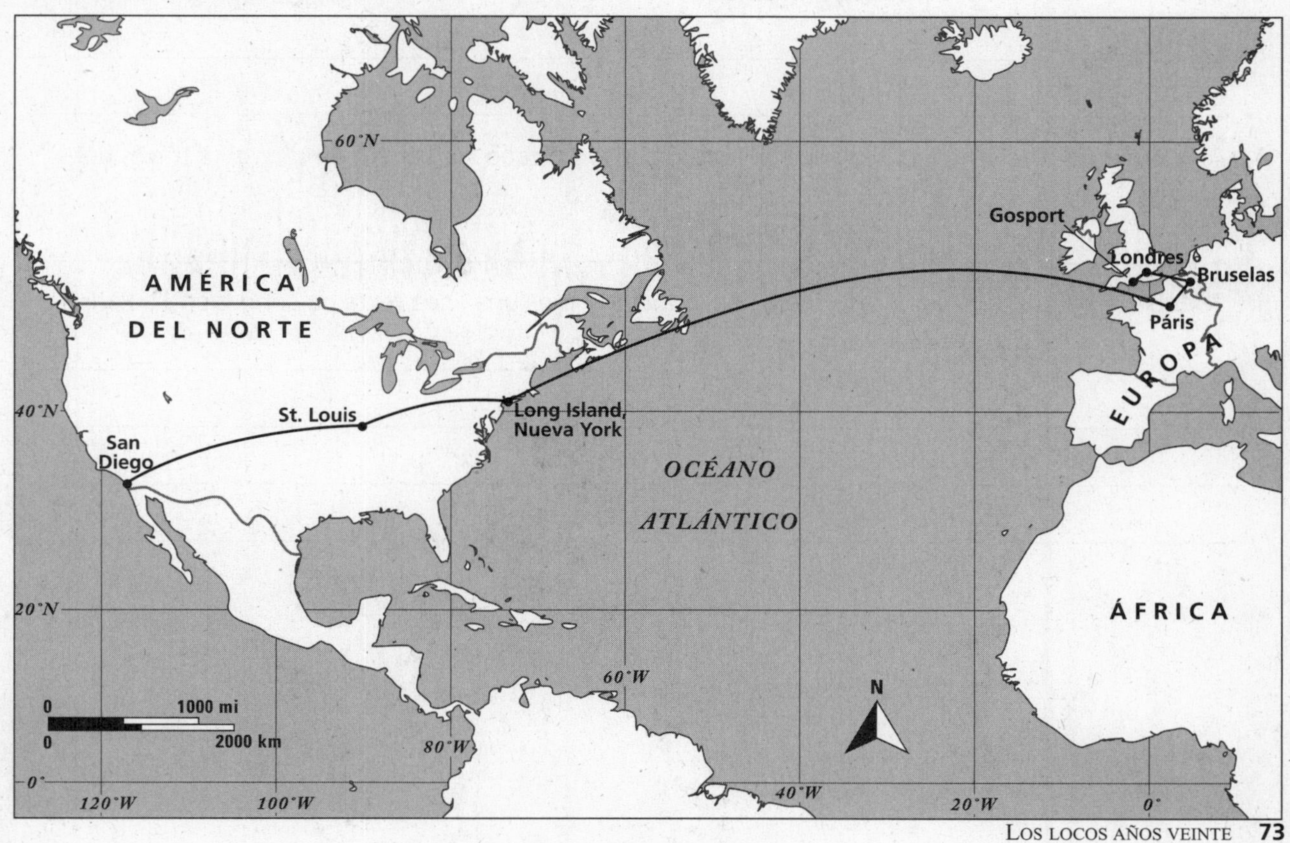

Interpretar mapas y texto

1. ¿Por qué nombró Lindbergh el *Espíritu de St. Louis* a su avión?

2. ¿Por qué el famoso viaje de Lindbergh empezó en realidad en San Diego?

3. ¿Desde dónde partió Lindbergh para empezar a cruzar el océano Atlántico?

   ¿Cuál era su destino?

4. ¿Por qué están Bruselas y Londres en este mapa?

5. ¿Cómo planeaba Lindbergh originariamente regresar a Estados Unidos?

6. ¿Cuál es la importancia de Gosport, Inglaterra?

7. ¿Aproximadamente, entre qué grados de latitud se llevó a cabo el vuelo de Lindbergh a través del océano?

8. ¿Por qué te parece que la línea de vuelo de Lindbergh no es una línea recta de Long Island a París?

Copyright © McDougal Littell Inc.

Nombre ______________________________ Fecha ______________

Lectura guiada

A. Analizar causas Mientras lees esta sección, toma notas para describir los problemas que existían en la economía a fines de la década de 1920.

	Problemas en la economía
Agricultura	
Distribución de los ingresos	
Industria	
Deudas del consumidor	
Mercado de acciones	

B. Hallar ideas principales Responde a las siguientes preguntas sobre las medidas del presidente Hoover durante los primeros años de la Gran Depresión.

Medidas del presidente Hoover
1. ¿Por qué Hoover no quería que el gobierno federal interfiriera en la economía?
2. ¿Qué propuso Hoover como soluciones para la depresión?
3. ¿Cómo respondió Hoover al ejército de las primas?

C. Reconocer efectos En el reverso de esta hoja, explica cómo la mayoría de los estadounidenses respondió a las políticas y medidas de Hoover.

Copyright © McDougal Littell Inc.

Nombre ______________________ Fecha ______________________

Lectura guiada

A. Resolver problemas Mientras lees esta sección, usa la siguiente tabla para tomar notas sobre los primeros pasos que siguió el presidente Roosevelt para combatir la Gran Depresión.

Feriado bancario	Charlas al calor de la lumbre	Nuevo Trato

B. Analizar puntos de vista Usa el siguiente cuadro para anotar las diferentes respuestas al Nuevo Trato.

	Respuesta al Nuevo Trato
Conservadores	
Huey Long	
Padre Charles Coughlin	
Francis Townshend	

C. Hallar ideas principales Usa el reverso de esta página para explicar la importancia de cada uno de los siguientes términos.

Ley del Seguro Social   Segundo Nuevo Trato   Proyecto de ley para aumentar la Corte Suprema
Gasto en déficit

Copyright © McDougal Littell Inc.

Nombre ______________________ Fecha ______________

Lectura guiada

A. Reconocer efectos Mientras lees esta sección, usa la siguiente tabla para resumir las experiencias de los grupos siguientes durante la depresión.

1. Granjeros de la cuenca de polvo
2. Familias
3. Escritores y fotógrafos
4. Mujeres
5. Grupos minoritarios
6. Sindicatos

B. Hallar ideas principales Usa el reverso de esta hoja para explicar la importancia de cada uno de los términos y nombres siguientes.

Cuenca de polvo   Eleanor Roosevelt   Congreso de Organizaciones Industriales (COI)
Huelga de brazos caídos

Copyright © McDougal Littell Inc.

Nombre ______________________ Fecha ______________

Lectura guiada

A. Reconocer efectos Mientras lees esta sección, usa la tabla siguiente para anotar cómo la Gran Depresión y el Nuevo Trato cambiaron a los individuos y al gobierno federal.

Cambios en los individuos	Cambios en el gobierno federal

B. Hallar ideas principales En el siguiente cuadro, anota las respuestas a las preguntas siguientes sobre el legado del Nuevo Trato en la actualidad.

1. ¿Qué programa del Nuevo Trato sigue dando pensiones a los de avanzada edad, y cómo lo ve hoy la gente?
2. Si hoy cierra un banco, ¿qué hace la FDIC por los depositantes?
3. ¿Cómo intenta impedir la Comisión de Valores y Bolsa otro derrumbe del mercado de valores?
4. ¿Cuál es la diferencia entre un conservador y un liberal?

Copyright © McDougal Littell Inc.

Nombre ______________________________ Fecha ______________

Desarrollo de destrezas: Práctica

Dar discursos públicos

Un **discurso público** es una charla que se da en público a un grupo de personas. Los discursos públicos son parte importante de una sociedad democrática porque permiten a los individuos y grupos compartir sus ideas y expresar sus puntos de vista. Sigue los pasos siguientes para preparar tu propio discurso sobre un aspecto del Nuevo Trato. (Mira el Manual del desarrollo de destrezas, página R7.)

1. Identifica tu público. Considera sus antecedentes, intereses y opiniones.

   ____

2. Elige un tema. Elige un tema que tu público halle interesante.

   ____

3. Elige un tono. Según la ocasión, el tono puede ser solemne, humorístico, desafiante o inspiracional.

   ____

4. Reúne información. Puedes usar libros, Internet o artículos de periódicos o revistas. Enumera aquí por lo menos tres fuentes.

   ____

   ____

5. Escribe el primer borrador. Los mejores discursos tienen una introducción clara, exposición y conclusión. Escribe aquí tu oración introductoria.

   ____

   ____

6. Practica dar el discurso. Puedes grabarte para escuchar cómo das el discurso. Presenta aquí una autoevaluación de tu discurso.

   ____

   ____

7. Corrige el discurso. Haz cambios basándote en tus propios juicios, así como en las recomendaciones de otros. Describe un cambio que le has hecho a tu discurso.

   ____

   ____

8. Da la versión final. Haz contacto visual y habla despacio y con seguridad.

Copyright © McDougal Littell Inc.

Aplicación geográfica

Elecciones presidenciales, 1932 a 1940

El verano de 1932 Estados Unidos estaba en lo más profundo de la depresión. Mucha gente que necesitaba ayuda gubernamental recibía no más de $5 a la semana. Millones de estadounidenses no tenían ni dinero ni hogar. Mucha gente no podía hacer los pagos de la hipoteca. Los bancos estaban apoderándose de las casas a un promedio de casi 25,000 al mes. Los programas del presidente Hoover no estaban ayudando a la economía.

Dentro de pocos meses iba a haber otras elecciones presidenciales. Los demócratas nominaron a Franklin D. Roosevelt para que se postulara contra el presidente Hoover. En julio, en el discurso con que aceptó la nominación, el candidato Roosevelt declaró: “Les prometo a ustedes, me prometo a mí mismo que habrá un trato nuevo para el pueblo estadounidense”. En el otoño los votantes aceptaron el “nuevo trato” de Roosevelt por una abrumadora mayoría.

Los demócratas ganaron porque pudieron unir una amplia colección de votantes. Los inmigrantes urbanos, los obreros de fábrica del norte, los afroamericanos, los granjeros del centro del país y los sureños, todos votaron por el Partido Demócrata. Por primera vez desde la guerra civil los demócratas tenían una mayoría nacional.

Para fines de los años treinta, el país estaba cambiando una vez más. Durante cinco años la depresión se había ido calmando lentamente hasta que sufrió un revés entre 1937 y 1938. El desempleo volvió a ser una preocupación importante. Más y más los líderes empresariales y el Congreso criticaban el Trato Nuevo abiertamente. Se suprimieron muchos de sus programas. En las elecciones presidenciales de 1940 muchos estados cambiaron su apoyo de Roosevelt a Wendell Willkie, el candidato republicano. Roosevelt ganó con los menores totales del voto popular y electoral.

Los mapas de la derecha permiten comparar las tres elecciones.

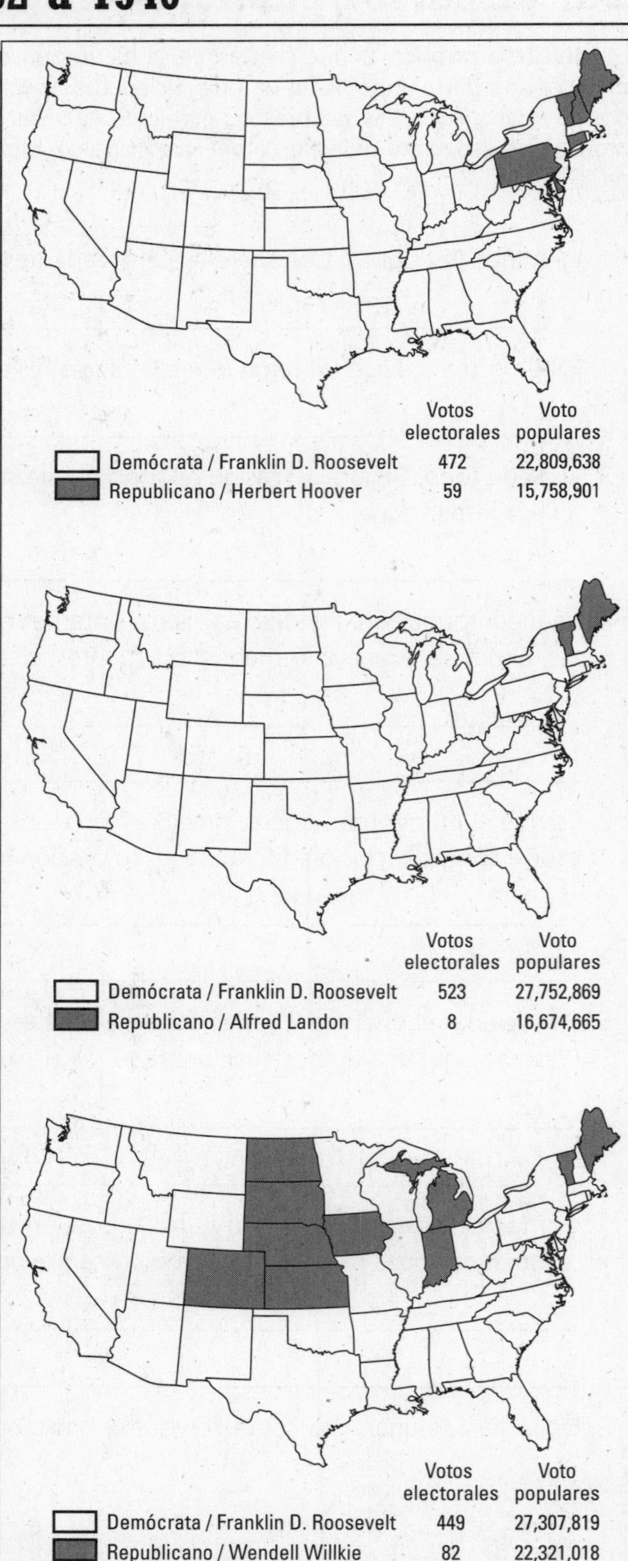

Copyright © McDougal Littell Inc.

Interpretar mapas y texto

1. ¿Por qué crees que Franklin D. Roosevelt pudo derrotar al presidente Hoover en 1932?

2. ¿En cuál de las tres elecciones tuvo Roosevelt el mayor el margen de victoria?

   ¿En qué elecciones tuvo el menor?

3. ¿Qué estados permanecieron republicanos en las tres elecciones? (Puedes consultar un atlas para averiguar el nombre de los estados si se te hace necesario.)

   ¿Qué regiones permanecieron sólidamente demócratas en las tres elecciones?

4. Las elecciones de 1936 son un ejemplo dramático de cómo el total del voto electoral puede distorcionar la popularidad de un candidato vencedor. Los sorprendentes 523 votos electorales de Roosevelt eran más del 98% del total del voto electoral. Pero el total del voto popular, 27.75 millones, ¿era sólo 62%, 75%, 83% o 94% del voto total?

5. Probablemente, ¿que causó la disminución de la popularidad de Roosevelt en las elecciones de 1940?

6. En las elecciones de 1940 el total del voto popular de Roosevelt fue casi el mismo que el de 1936. Pero su voto electoral disminuyó considerablemente. ¿Cómo explicas esto?

Copyright © McDougal Littell Inc.

Nombre ______________________ Fecha ______________

Lectura guiada

A. Comparar y constrastar Usa la tabla siguiente para tomar notas sobre los dictadores que subieron al poder en Europa durante los años veinte y treinta.

Dictador	Cuándo y dónde subió al	Filosofía política
Benito Mussolini	1.	2.
Adolf Hitler	3.	4.
Joseph Stalin	5.	6.

B. Organizar la secuencia de los sucesos Usa la línea cronológica siguiente para tomar notas sobre los sucesos que llevaron al comienzo de la segunda guerra mundial y la participación de Estados Unidos en la guerra.

1936

1936 **Alemania e Italia forman el Eje. Estalla la guerra civil en España.**

1. ¿Qué papel hicieron Alemania e Italia en la guerra civil española?

1938 **Alemania anexa a Austria.**

En el acuerdo de Múnich, Gran Bretaña y Francia permiten a Alemania que anexe a los Sudetes.

2. ¿Por qué acordaron Gran Bretaña y Francia dejar que Alemania anexara los Sudetes?

1939 **Alemania invade a Checoslovaquia.**

Alemania firma un pacto de no agresión con la Unión Soviética.

Alemania invade a Polonia.

3. ¿Por qué firmó la Unión Soviética el pacto de no agresión con Alemania?

Gran Bretaña y Francia declaran la guerra a Alemania.

1940 **Japón se une al Eje. Alemania invade a Francia. Se libra la batalla de Gran Bretaña.**

1941 **Alemania invade a la Unión Soviética.**

1941 **Japón ataca a Estados Unidos en Pearl Harbor**

4. ¿Por qué atacó Japón a Estados Unidos?

1942

Copyright © McDougal Littell Inc.

Nombre ______________________ Fecha ______________

Lectura guiada

A. Organizar la secuencia de los sucesos Usa la línea cronológica siguiente para tomar notas sobre el curso de la guerra en África y Europa.

1941

Año	Mes	Suceso
1941	**Dic.**	**Estados Unidos entra en la guerra**
1942	**Junio**	**Los británicos paran el avance del Eje en África en la batalla de El Alamein.**
	Sept.	**Los alemanes atacan la ciudad soviética de Estalingrado.**
	Nov.	**Las fuerzas estadounidenses se suman a los aliados en África del Norte.**
1943	**Feb.**	**Los soviéticos ganan la batalla de Estalingrado.**
	Mayo	**En África del Norte el Eje se rinde a los aliados.**
	Julio	**Los aliados invaden a Sicilia.**
	Sept.	**Italia se rinde a los aliados.**
1944	**Junio**	**Los aliados invaden a Francia en Normandía.**
	Dic.	**Se libra la batalla del Bolsón.**
1945	**Mayo**	**El ejército soviético captura a Berlín y Alemania se rinde.**

1946

1. ¿Por qué los aliados expulsaron al Eje de África antes de invadir a Francia?

2. ¿Por qué fue importante la batalla de Estalingrado?

3. ¿Por qué sorprendió a los alemanes la invasión aliada de Normandía?

4. ¿Por qué fue importante la batalla del Bolsón?

B. Hallar ideas principales Usa el reverso de esta hoja para escribir un breve párrafo que explique la importancia de los siguientes términos.

Conferencia de Yalta Holocausto

Copyright © McDougal Littell Inc.

Nombre ______________________ Fecha ______________

Lectura guiada

A. Organizar la secuencia de los sucesos Usa la línea cronológica siguiente para tomar notas sobre el curso de la guerra en el Pacífico.

1941

Año	Mes	Suceso
1941	Dic.	Japón ataca a Estados Unidos en Pearl Harbor.
	Dic.	Japón invade a las Filipinas.
1942	Abril	Fuerzas estadounidenses y filipinas entregan las Filipinas a Japón.
	Junio	Estados Unidos derrota a Japón en la batalla de Midway.
1943	Feb.	Estados Unidos conquista a Guadalcanal.
1944	Oct.	Los aliados invaden a las Filipinas.
1945	Feb.	Los aliados invaden a Iwo Jima.
	Mar.	Los aliados liberan a Manila.
	Abr.	Los aliados invaden a Okinawa.
	Aug.	Estados Unidos lanza bombas atómicas en Japón y Japón se rinde.

1946

1. ¿Qué les pasó a las tropas estadounidenses y filipinas que se rindieron en las Filipinas?

2. ¿Por qué fue importante la batalla de Midway?

3. ¿Cuáles fueron tres islas del Pacífico que Estados Unidos invadió durante la guerra contra Japón?

4. ¿A cuántas personas mató la bomba atómica lanzada contra Hiroshima?

Copyright © McDougal Littell Inc.

B. Hallar ideas principales Usa el reverso de esta hoja para escribir un breve párrafo que explique la importancia de los siguientes términos.

brincar de isla a isla Proyecto Manhattan

Nombre ______________________ Fecha ______________

Lectura guiada

A. Hallar ideas principales Usa el cuadro siguiente para tomar notas sobre cómo cada uno de estos factores contribuyó a la economía bélica.

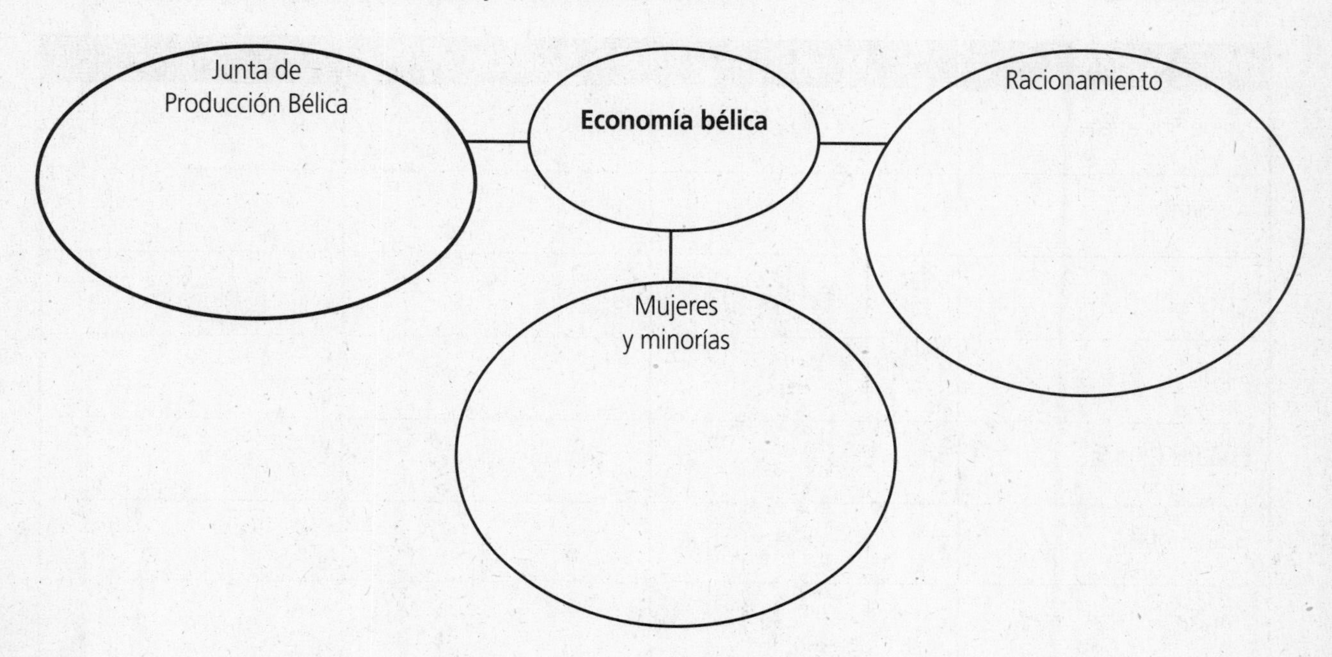

B. Reconocer efectos Usa la tabla siguiente para tomar notas sobre cómo afectó la guerra a los grupos siguientes.

Grupo	Efectos de la guerra
Mujeres	
Afroamericanos	
Estadounidenses mexicanos	
Estadounidenses japoneses	

Copyright © McDougal Littell Inc.

Nombre ______________________ Fecha ______________

Lectura guiada

A. Reconocer efectos Usa la tabla siguiente para tomar notas sobre las pérdidas sufridas por las naciones siguientes entre 1939 y 1945.

Nacíon	Muertos	Heridos	Total
Unión Soviética	1.		
Alemania	2.		
China	3.		
Japón	4.		
Estados Unidos	5.		
Gran Bretaña	6.		
Francia	7.		
Italia	8.		

B. Hallar ideas principales Usa la tabla siguiente para escribir un breve párrafo que explique la importancia de los términos siguientes.

1. Plan Marshall	2. Carta de Derechos del Soldado
3. Juicios de Nuremberg	4. Organización de las Naciones Unidas

Copyright © McDougal Littell Inc.

Nombre ______________________ Fecha ______________

Desarrollo de destrezas: Práctica

Hacer decisiones

Hacer decisiones significa que tienes que elegir entre dos o más opciones o cursos de acción. Después del ataque japonés a Pearl Harbour, el gobierno de Estados Unidos tuvo que hacer una decisión sobre si debía intentar una represalia rápida contra Japón. Lee el análisis de los riesgos y posibles beneficios de un ataque aéreo a Tokyo. Luego completa la tabla y contesta a la pregunta que aparece a continuación. (Mira el Manual del desarrollo de destrezas, página R13.)

Impacto sobre la moral

Un ataque exitoso puede levantar la moral en Estados Unidos y dañar la moral en Japón. Puede demostrar a los estadounidenses que su país es capaz de defenderse. Al mismo tiempo puede hacer que los japoneses civiles teman ataques a su patria y esto puede avergonzar a las fuerzas armadas japonesas. Pero los japoneses pueden reaccionar a un ataque intensificando su apoyo por su país. Un ataque fallado sería una gran vergüenza para Estados Unidos.

Impacto sobre la estratregia

Un ataque puede hacer que Japón mantenga parte de sus fuerzas cerca del país para protegerlo. Mientras esto puede lentificar el paso de la expansión japonesa, puede hacer más difíles los futuros ataques contra Japón. Un ataque existoso puede hacer algún daño a las fábricas japonesas y a las instalaciones militares. Respecto a Estados Unidos, el riesgo militar será para las tripulaciones y los aviones. Tendrán que volar bajo sobre territorio enemigo, no tendrán combustible adicional para ninguna emergencia y tendrán que aterrizar lejos de Estados Unidos.

País	Beneficios posibles	Riesgos
Estados Unidos		
Japón		

Explica si recomendaste que se llevaran a cabo ataques aéreos contra Tokyo. ¿Tienen los posibles beneficios más peso que los riesgos que están en juego? Indica qué beneficios y riesgos posibles influyeron más tu decisión.

____

____

____

Copyright © McDougal Littell Inc.

Aplicación geográfica

La campaña del norte de África, 1942 a 1943

En 1942 los aliados lanzaron la "operación Antorcha", o campaña para ganar el norte de África. Éste era el primer contraataque aliado contra los poderes del Eje. Los británicos venían luchando contra los alemanes en la sección oriental del norte de África desde 1940. Finalmente, en octubre de 1942 pararon el avance de Rommel hacia el canal de Suez en el este. Los británicos empezaron a forzar la retirada de los alemanes. Poco después la operación Antorcha desembarcó a los aliados en el norte de África para que atacaran a los alemanes desde el oeste.

En realidad los aliados atacaron el norte de África por dos razones. Primero, los aliados necesitaban invadir a Europa desde el norte. Su control de la región del Mediterráneo antes de esa invasión haría que las cosas resultasen más fáciles. Los aliados creían que invadir a Europa primero a través de Italia debilitaría la fuerza del Eje y ayudaría la invasión del norte. El peldaño para llegar a Italia era el norte de África. El mapa siguiente muestra los movimientos y fechas principales de la operación Antorcha.

Segundo, los aliados querían ayudar a la Unión Soviética, un aliado. La Unión Soviética estaba exhausta a causa de su heroica resistencia contra el ejército alemán. Debido a que en esa región no había otras fuerzas que desafiaran a los poderes del Eje, Alemania había concentrado sus fuerzas en la conquista de Rusia.

Así que Rusia rogó a los otros aliados que formaran un "segundo frente", o segunda línea de combate, contra los poderes del Eje. Esto haría que el Eje extendiera sus fuerzas y se preocupara por algo más que la Unión Soviética. Pero Estados Unidos y Gran Bretaña no estaban muy dispuestos a asaltar el continente europeo en esos momentos. En su lugar el segundo frente lo estableció la operación Antorcha. Para febrero de 1943 las tropas alemanas se estaban retirando de Rusia.

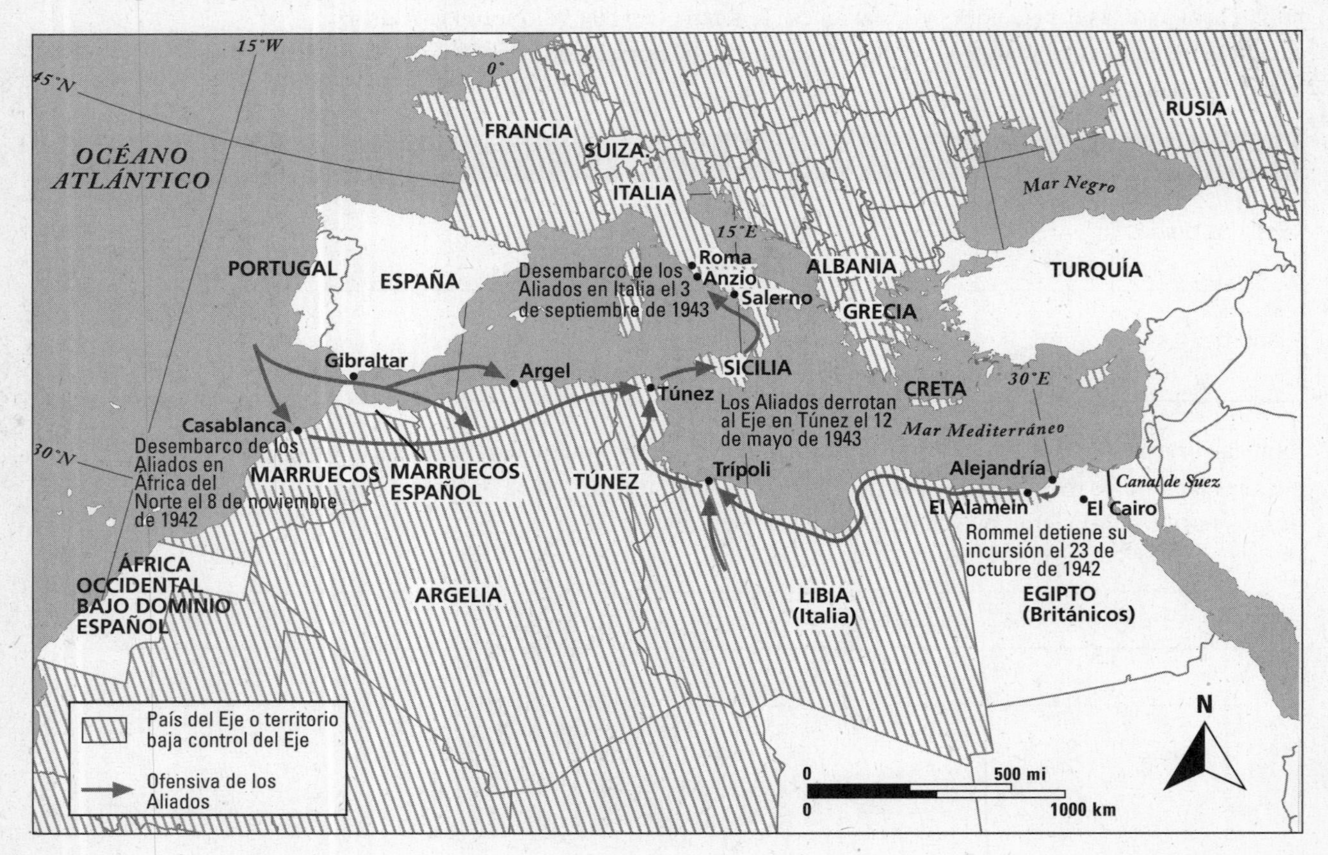

Copyright © McDougal Littell Inc.

Interpretar mapas y texto

1. ¿Qué naciones africanas invadieron los aliados durante la operación Antorcha?

____

____

2. Después de eso, ¿en qué dirección se movieron los aliados invasores?

____

3. ¿Qué importante vía navegable buscaba Rommel en su avance hacia el este?

____

4. ¿En qué país se paró a Rommel?

____

Después de eso, ¿en qué dirección empujaron los británicos a los alemanes?

____

5. ¿En qué país unieron sus fuerzas los británicos y el resto de los aliados?

____

¿Cuál fue el resultado?

____

6. ¿A qué país aliado se suponía que la operación Antorcha ayudara inmediatamente?

____

7. Después de la victoria de la operación Antorcha, Churchill dijo que "la blanda barriga de Europa" estaba abierta al ataque de los aliados. ¿Qué quiso decir con esto, y que hicieron luego los aliados para confirmar esta declaración?

____

____

____

____

____

____

Copyright © McDougal Littell Inc.

Nombre ______________________ Fecha ______________________

Lectura guiada

A. Identificar y resolver problemas Mientras lees esta sección, describe las soluciones que se ofrecieron para resolver los problemas de la posguerra.

1. Problema: Severa escasez de viviendas
Solución ofrecida por promotores inmobiliarios como William Levitt

2. Problema: Huelgas laborales que amenazan paralizar a la nación
Solución ofrecida por el gobierno de Truman:

3. Problema: Discriminación y violencia raciales
Solución ofrecida durante el gobierno de Truman:

B. Reconocer efectos Mientras lees esta sección, completa el diagrama de causa y efecto con las acciones estadounidenses específicas hechas en reacción a las acciones soviéticas que se enumeran. Para rellenar el diagrama usa los términos y nombres siguientes:

contención Doctrina Truman puente aéreo de Berlín

Causa: acción soviética		Efecto: acción estadounidense
El líder soviético Joseph Stalin no permitió elecciones libres en la Europa oriental y estableció gobiernos pro-soviéticos.	→	1.
Causa: acción soviética		**Efecto: acción estadounidense**
Los soviéticos bloquearon a Berlín por casi un año.	→	2.

C. Resumir En el reverso de esta hoja explica la importancia de cada uno de los términos siguientes:

Trato Justo guerra fría Plan Marshall

Copyright © McDougal Littell Inc.

Nombre ______________________ Fecha ______________

Lectura guiada

A. Hallar ideas principales Mientras lees esta sección, rellena la tabla siguiente escribiendo respuestas a las preguntas en las casillas debidas.

	Guerra civil en China	Guerra civil en Corea
1. ¿Qué lado apoyó Estados Unidos y por qué?		
2. ¿Cuál fue el resultado de la guerra?		

B. Reconocer efectos Mientras lees esta sección, escribe tus respuestas a la pregunta en la casilla debida.

	¿Cómo reaccionó Estados Unidos y por qué?
1. En 1956 Gran Bretaña, Francia e Israel invadieron a Egipto y ocuparon el canal de Suez.	
2. En 1957 la Unión Soviética lanzó Sputnik.	
3. En 1960 la Unión Soviética derribó un U-2 estadounidense piloteado por Francis Gary Powers.	

C. Resumir En el reverso de esta hoja explica la importancia de cada uno de los términos y nombres siguientes:

brinksmanship paralelo 38 Joseph McCarthy

Copyright © McDougal Littell Inc.

Nombre ______________________________ Fecha ______________

Lectura guiada

A. Reconocer efectos Mientras lees esta sección, escribe notas sobre cómo afectaron a los estadounidenses varios cambios de los años cincuenta.

Cambios	Efectos
1. Expansión suburbana: escape de las ciudades	
2. *Baby boom*	
3. Aumento dramático del uso del automóbil	
4. Surgimiento del consumismo	

B. Tomar notas Mientras lees esta sección, toma notas para contestar a preguntas sobre innovaciones y tendencias en la cultura popular de los años cincuenta.

1. Televisión	¿Cuáles son algunos de los espectáculos más populares?
2. *Rock 'n' roll*	¿Quién ayudó a popularizarlos?

C. Resumir En el reverso de esta hoja, explica la importancia de los términos siguientes:
barrio residencial *sunbelt* *rock 'n' roll*

Copyright © McDougal Littell Inc.

Nombre ______________________ Fecha ______________

Desarrollo de destrezas: Práctica

Resumir

Resumir significa que vuelves a enunciar un párrafo, pasaje o capítulo con menos palabras, incluyendo sólo las ideas principales y los detalles importantes. Lee el pasaje siguiente sobre Ethel y Julius Rosenberg, dos espías que durante la guerra fría dieron a la Unión Soviética importantísimos secretos atómicos de Estados Unidos. Luego resume el pasaje con un párrafo. (Mira el Manual del desarrollo de destrezas, página R2.)

Tal vez ningún caso criminal de la historia de Estados Unidos haya dado lugar a más controversia que el de Ethel y Julius Rosenberg, los únicos estadounidenses ejecutados por espionaje durante tiempo de paz. Aunque muchos todavía proclaman la inocencia de los Rosenberg, evidencia reciente deja poca duda de que, por lo menos Julius, era, en efecto, el centro de una red de espionaje que contrabandeó información del Proyecto Manhattan de Los Álamos, New Mexico, a la Unión Soviética.

La fuente de la información era un técnico de Los Álamos llamado David Greenglass, el hermano de Ethel. Al igual que su hermana y su esposo, Greenglass era un comunista devoto. Trabajando por razones ideológicas, contrabandeaba diseños y otra información a Santa Fe y luego a Nueva York mediante un mensajero llamado Harry Gold. Allí Julius (y tal vez Ethel) pasaba el material a un control soviético. La operación empezó a comienzos de los años cuarenta y siguió por varios años. Pero la defección de un empleado de la embajada soviética de Canadá llevó al FBI a Gold, Greenglass y los Rosenberg.

Pero los agentes federales estaban aún más preocupados por una red de espionage industrial con que seguía trabajando Julius. El FBI trató de usar las acusaciones del caso de los secretos atómicos —especialmente las acusaciones contra Ethel, quien muy bien puede haber sido completamente inocente— para hacerlo hablar. Julius se negó a entregar a sus cómplices. En el juicio de los Rosenberg, Greeenglass testificó contra su hermana y cuñado, y como resultado se los condenó a los dos. En un proceso de sentencia que involucró varias irregularidades ... se condenó a los dos Rosenberg a muerte. A pesar de una cantidad de apelaciones por parte de simpatizantes izquierdistas convencidos de la inocencia de los Rosenberg, la pareja fue a la silla eléctrica en Nueva York el 19 de junio de 1953.

De David Wallechinsky, *Historia sin las partes aburridas,* Boston, Little Brown & Company, 1995, págs. 254-255.

____

____

____

____

____

____

____

____

Copyright © McDougal Littell Inc.

Nombre ______________________ Fecha ______________________

Aplicación geográfica

Los gobiernos comunistas después de la segunda guerra mundial

Casi al final de la segunda guerra mundial las tropas soviéticas liberaron a los países de la Europa oriental del control alemán. Pero los soviéticos les llevaron más que liberación. También llevaron a la región su sistema comunista.

Al principio el Oeste vio favorablemente la presencia de las tropas soviéticas en la Europa oriental. A medida que se iba desintegrando el régimen nazi, los soviéticos parecían estar estableciendo un sentido de orden en los países destrozados por la guerra. Pero los soviéticos se quedaron. Tuvieron un efecto intimidante en el área. En lugar de ayudar a los gobiernos empezaron a dominarlos. Los partidos comunistas locales fueron los únicos que se permitieron. De 1944 a 1949 los soviéticos impusieron en estos países si sistema de gobierno propio. Pero entre 1945 y 1947 Estados Unidos logró mantener al comunismo fuera de Grecia y Turquía.

En el Oriente Lejano los comunistas prosperaron después de la segunda guerra mundial. Los comunistas habían tenido una entrada en el área desde que el gobierno de Mongolia se había hecho comunista en 1921. Luego en 1948 Corea se dividió entre una zona soviética en el norte y una zona apoyada por Estados Unidos en el sur. Mientras tanto al gobierno nacionalista de China empezaron a atacarlo los comunistas internos. Se produjo una furiosa guerra civil hasta que los nacionalistas se tuvieron que retirar a la isla de Taiwan. Así que en 1949 se hizo comunista el país más poblado del mundo. Sólo en Japón y Corea del Sur pudo Estados Unidos mantener alejado al comunismo.

El mapa siguiente muestra dónde se instalaron gobiernos comunistas con éxito. La tabla demuestra cuánta gente se incorporó al sistema político comunista.

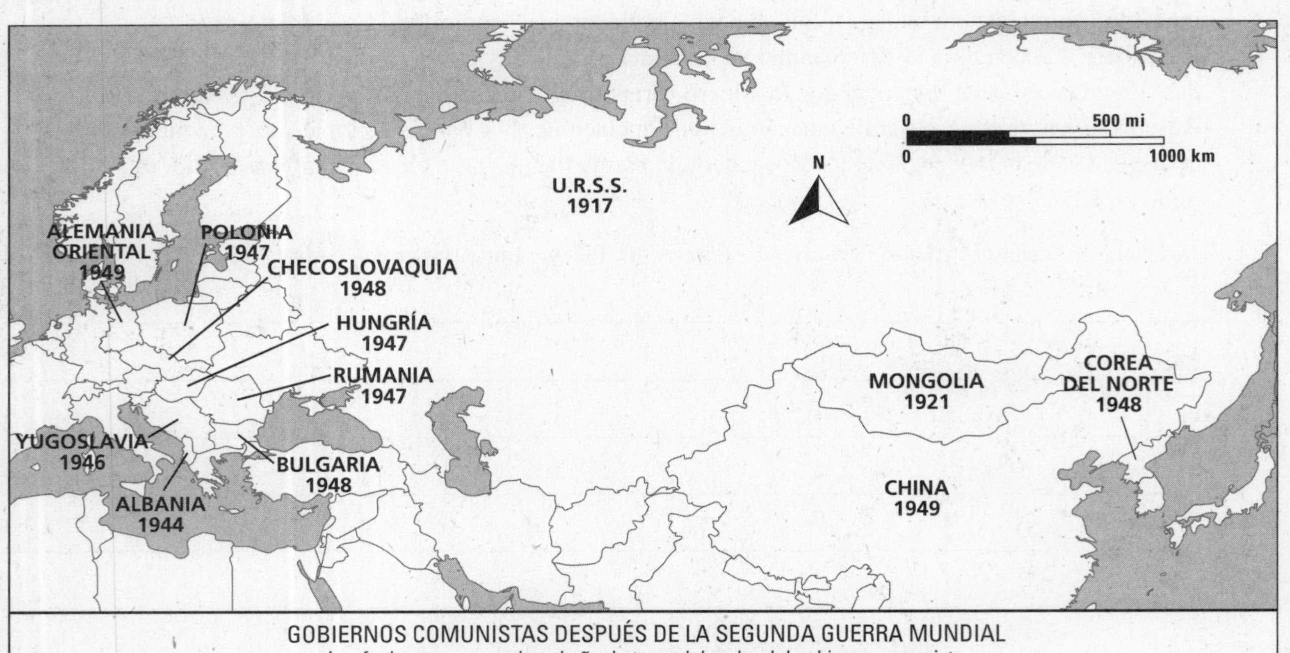

GOBIERNOS COMUNISTAS DESPUÉS DE LA SEGUNDA GUERRA MUNDIAL

Las fechas corresponden al año de toma del poder del gobierno comunista

Población (en 1950)

País	Población	País	Población	País	Población
Albania	1,219,000	Hungría	9,205,000	China	590,195,000
Bulgaria	7,029,000	Polonia	25,008,000	Mongolia	925,000
Checoslovaquia	12,338,000	Rumania	15,873,000	Corea del norte	9,083,000
Alemania oriental	18,388,000	Yugoslavia	15,772,000		

Copyright © McDougal Littell Inc.

Interpretar mapas y texto

1. Nombra las naciones de la Europa oriental que para 1946 tenían gobiernos comunistas.

2. ¿En qué naciones tomaron el poder los gobiernos comunistas en 1949?

3. Para 1950, ¿cuáles eran las dos naciones comunistas más pobladas de la Europa oriental?

   ¿Cuál era la menos poblada?

4. El líder soviético Stalin trató de justificar la ocupación de los países de la Europa oriental. Arguyó que la Unión Soviética necesitaba estados amistosos en sus fronteras como protección contra el Oeste. (El mapa muestra, sin rótulos, las antiguas repúblicas soviéticas de Estonia, Latvia, Lituania, Belarrusia y Ucrania. Consulta el Atlas, página R33, si se te hace necesario.) ¿Qué naciones de la Europa oriental compartían una frontera terrestre con estas repúblicas de la Unión Soviética?

5. En el mapa halla a Grecia y Turquía. (Puedes volver a consultar el Atlas.) ¿Por qué te parece que al Oeste le era tan importante mantener a estos países libres del control comunista?

6. En el mapa halla a Japón. ¿Por qué podría haber considerado Estados Unidos que un Japón libre era una necesidad?

Copyright © McDougal Littell Inc.

Nombre ______________________ Fecha ______________

Lectura guiada

A. Analizar causas Mientras lees esta sección, usa la tabla siguiente para explicar por qué la lucha de los afroamericanos por los derechos iguales empezó a tener más éxito después de la segunda guerra mundial.

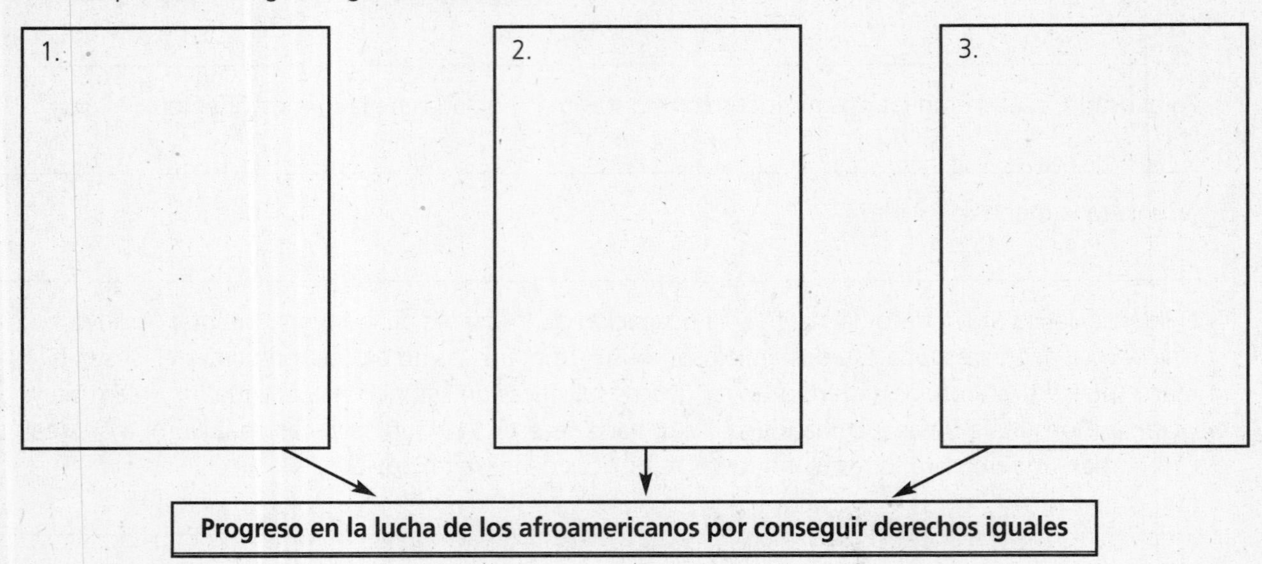

B. Hallar ideas principales Los afroamericanos ganaron importantes batallas del movimiento por los derechos civiles en los tribunales. Pero sin la lucha de muchos otros en sus propias comunidades, el movimiento habría tenido menos éxito. Usa la tabla siguiente para describir algunas de estas importantes victorias.

	Victorias del movimiento por los derechos civiles
Montgomery, Alabama	
Little Rock, Arkansas	
Greensboro, North Carolina	

C. Reconocer efectos En el reverso de esta hoja describe los efectos de plazo corto y de plazo largo de la decisión del Tribunal Supremo en el caso *Brown contra el Consejo de Educación de Topeka.*

Copyright © McDougal Littell Inc.

Nombre ______________________ Fecha ______________

Lectura guiada

A. Comparar y contrastar Mientras lees esta sección, compara y contrasta el trabajo de los presidentes Kennedy y Johnson respecto a los derechos civiles.

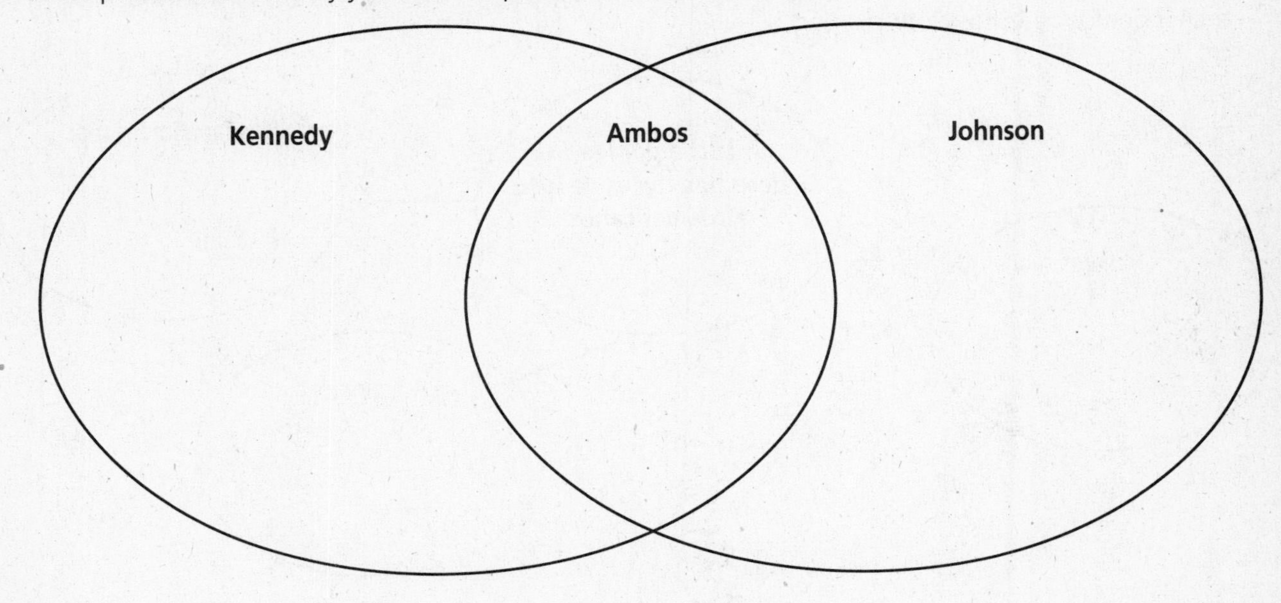

B. Hallar ideas principales Durante su presidencia, Lyndon Johnson apoyó con entusiasmo las reformas sociales. El programa de reformas sociales de Johnson se conoció como la gran sociedad. Usa la tabla siguiente para describir legislación importante pasada durante el gobierno de Johnson.

	La gran sociedad de Johnson
ley de Derechos civiles (1964)	
ley de los Derechos al Voto (1965)	
ley de Cuidado Médico (1965)	
ley de las Escuelas Primarias y Secundarias (1965)	

C. Sacar deducciones Durante la era de los derechos civiles, con frecuencia aparecían en televisión reacciones violentas a la lucha de los afroamericanos por la igualdad. Usa el reverso de esta hoja para explicar qué efecto pueden haber tenido en el movimiento estos programas de televisión.

Copyright © McDougal Littell Inc.

Nombre ______________________ Fecha ______________

Lectura guiada

A. Hacer generalizaciones Usa el diagrama siguiente para describir brevemente cómo la lucha de los afroamericanos por los derechos iguales inspiró a otros grupos a luchar por los derechos civiles suyos.

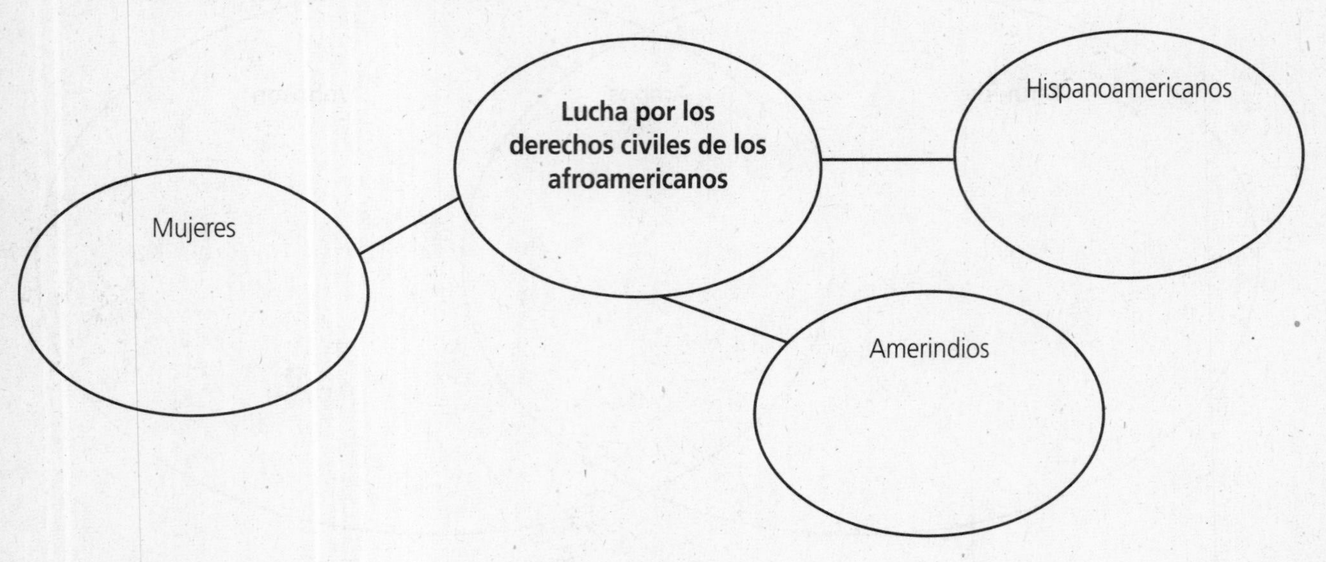

B. Comparar y constrastar La lucha de los afroamericanos por los derechos civiles inspiró a muchos hispanoamericanos. Usa la tabla siguiente para explicar qué características de la comunidad hispana la puede haber ayudado en su lucha por los derechos iguales. También enumera factores que pueden haber dificultado su lucha.

Movimiento por los derechos civiles de los hispanoamericanos	
Factores que promovían la unidad	Factores que dificultaban la unidad

C. Resumir En el reverso de esta hoja, escribe una breve historia de la Enmienda de Igualdad de Derechos.

Copyright © McDougal Littell Inc.

Nombre ______________________ Fecha ______________

Desarrollo de destrezas: Práctica

Categorizar

Categorizar información involucra clasificar en grupos o categorías a personas, objetos, ideas u otra información. Una manera de categorizar información es usar el diagrama de Venn, que aparece aquí. Debajo del diagrama hay 13 enunciados basados en información de tu libro de texto. Cada enunciado describe un objetivo o logro de gente de por lo menos uno de los movimientos por los derechos iguales. Escribe la letra de cada enunciado donde le corresponde en el diagrama. (Mira el Manual del desarrollo de destrezas, página R6.)

- Si un enunciado describe sólo un movimiento, colócalo en la sección del diagrama que es sólo para el movimiento ese.
- Si un enunciado se refiere a dos movimientos, colócalo en el área que comparten los círculos de esos dos movimientos.
- Si un enunciado se refiere a los tres movimientos, colócalo en el área que comparten los tres círculos.

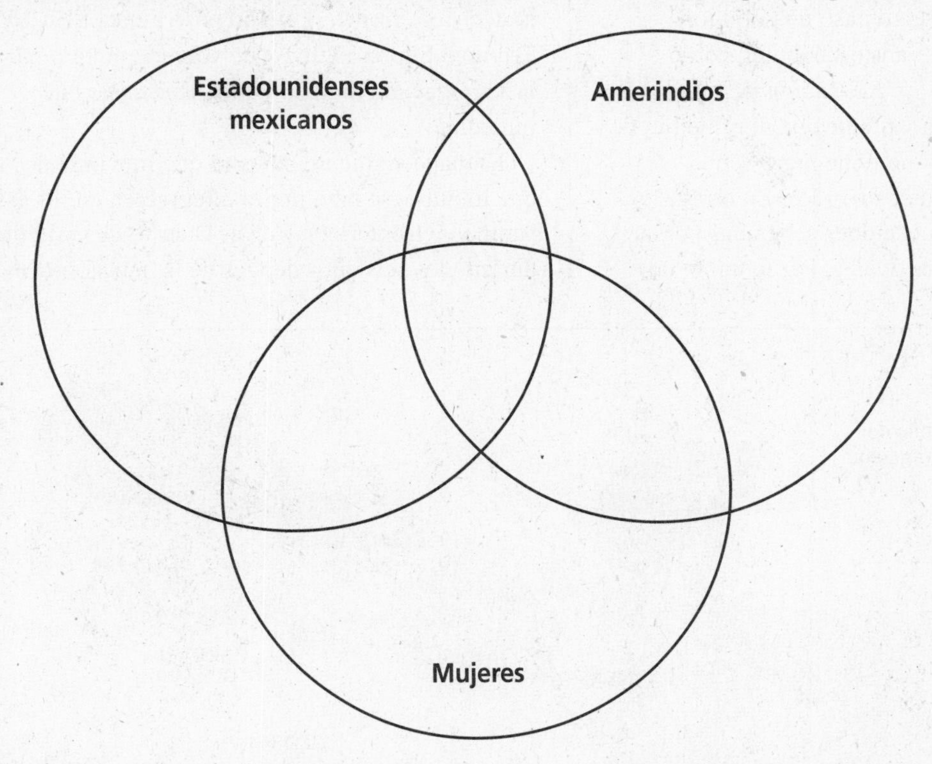

A. Demandaron mayor aceptación de las leyes tribales

B. Trabajaron mayormente en las ciudades del Sudoeste y California

C. Trataron de enmendar la Constitución

D. Querían escuelas mejores y cambios en los cursos

E. Se oponían a la política gubernamental de "terminación"

F. Expandieron las oportunidades en los deportes

G. Lucharon por proteger su legado cultural

H. Organizaron La Raza Unida

I. Protestaron las leyes injustas en los tribunales

J. Se concentraron en oportunidades de trabajo mejores y paga equitativa

K. Lucharon por obtener derechos iguales

L. Crearon NOW

M. Formaron la NCAI y AIM

Copyright © McDougal Littell Inc.

Nombre ______________________ Fecha ______________

Aplicación geográfica

Integración de las escuelas, 1954 a 1960

Desde 1896 hasta 1954 en la educación pública de Estados Unidos existió la idea de "separados pero iguales". Esto significaba que los sistemas educativos separados para los blancos y los negros se permitían porque los dos se consideraban iguales. Pero la idea ignoraba una realidad básica. El sistema educativo para los blancos era superior al sistema de la gente de color.

En 1938 comenzó un debate sobre la segregación en las escuelas públicas de Estados Unidos. Luego, en 1954 el Tribunal Supremo pasó una opinión histórica en un juicio de Kansas conocido como *Brown contra el Consejo de Educación de Topeka.* El tribunal dictaminó unánimamente que el principio de "'separados pero iguales' no tiene lugar" en la educación pública de Estados Unidos. En otras palabras, dijo que las educaciones separadas por su propia naturaleza eran desiguales. Por lo tanto, no eran constitucionales. En 1955 la corte ordenó a las escuelas públicas que admitieran a los estudiantes de color "con toda deliberada rapidez".

La realidad de la situación fue que la integración en las escuelas sureñas se movió muy despacio. Los segregacionistas se opusieron a la orden. Reafirmaron el derecho de los estados a ignorar la decisión del tribunal. En 1956 19 senadores nacionales sureños y 81 diputados anunciaron que se iban a usar "todos los métodos legales" para revocar la decisión *Brown.* (Esto no pasó nunca.) En 1969 el Tribunal Supremo tuvo que volver a dictaminar sobre la segregación, diciendo que debía cesar "de inmediato".

El mapa siguiente muestra qué movimiento, si es que lo hubo, se hizo por la integración en los estados sureños y fronterizos y en el Distrito de Columbia durante los seis años depués de la decisión *Brown.*

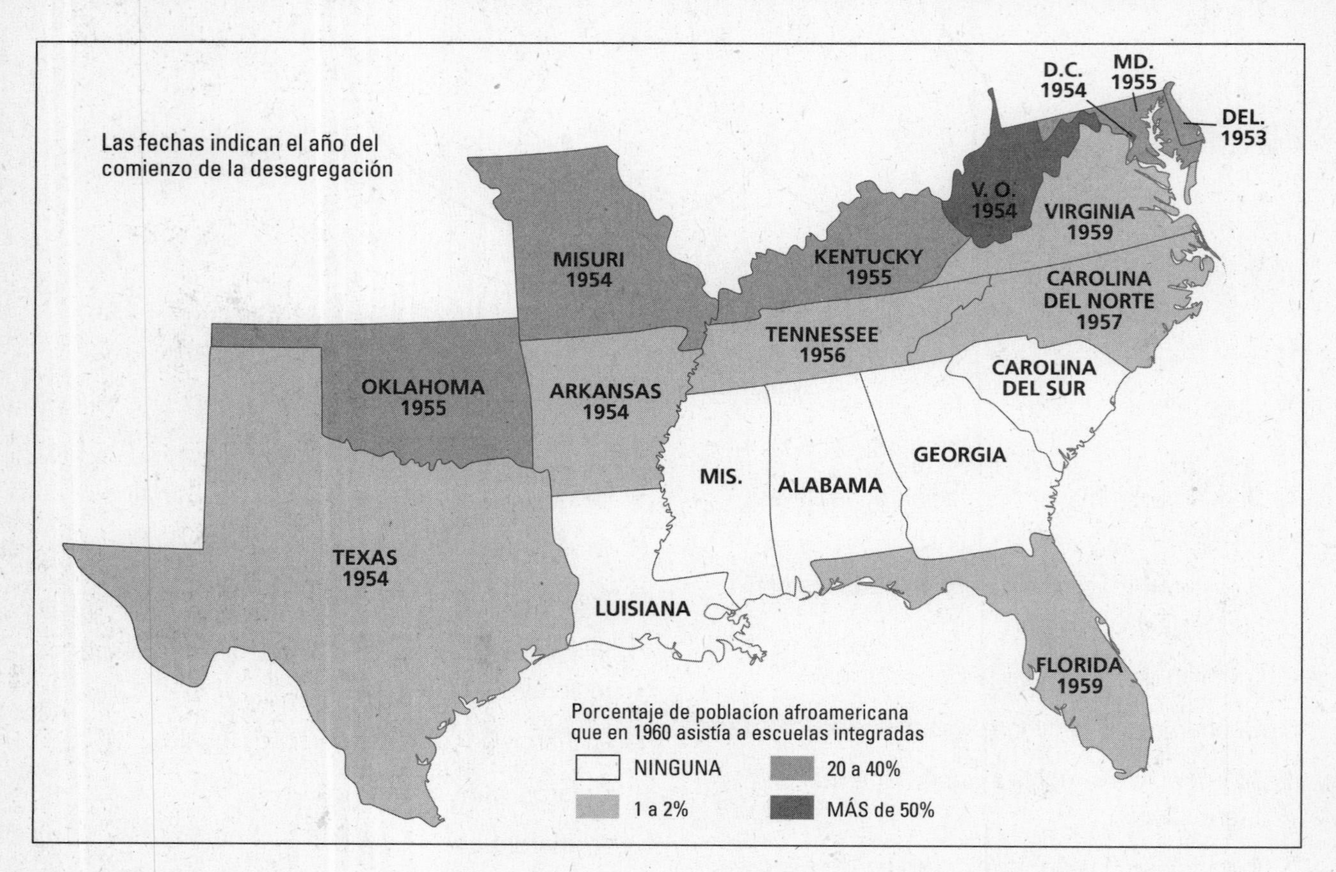

Copyright © McDougal Littell Inc.

Interpretar mapas y texto

1. ¿Qué estado había empezado a integrar sus escuelas públicas aún antes de la decisión de *Brown* de 1954?

2. De los estados que empezaron a desegregar sus escuelas antes de 1960, ¿cuáles fueron los primeros en hacerlo después de la decisión del Tribunal?

   ¿Cuáles fueron los últimos?

3. ¿Qué otro lugar, no estado, también empezó la desegregación en 1954?

4. ¿Qué estados todavía no habían comenzado a integrar su sistema escolar para 1960?

5. ¿Qué estados habían integrado entre 20 y 40 % de sus escolares públicos para 1960?

6. ¿Qué porcentaje de integración había alcanzado Virginia Occidental para 1960?

7. De los 17 estados y el Distrito de Columbia que aparecen en el mapa, ¿cuántos tenían para 1960 un mero dos por ciento o menos de niños afroamericanos en escuelas integradas?

8. ¿Qué "no tiene lugar" en la educación pública de Estados Unidos?

Copyright © McDougal Littell Inc.

Nombre ______________________ Fecha ______________

Lectura guiada

A. Organizar la secuencia de los sucesos Mientras lees esta sección, toma notas para contestar a preguntas sobre las raíces del conflicto con Vietnam.

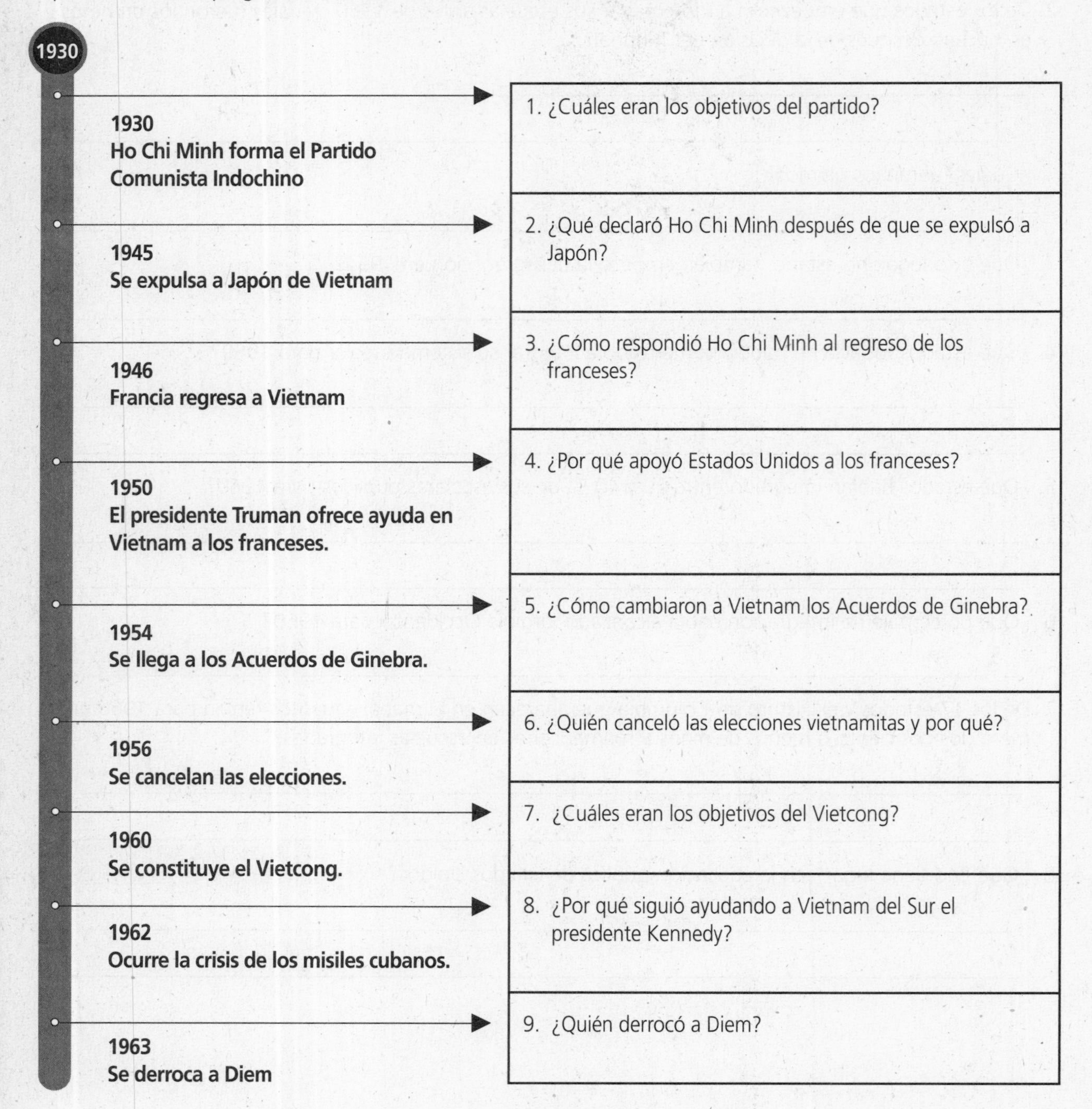

Copyright © McDougal Littell Inc.

B. Hallar ideas principales En el reverso de esta hoja, resume la teoría del dominó y explica cómo llevó a la participación estadounidense en Vietnam.

Nombre ______________________ Fecha ______________

Lectura guiada

A. Analizar causas Mientras lees las páginas 841 a 842, completa el diagrama con razones por las cuales la guerra frustró a los soldados estadounidenses.

Frustraciones para los soldados estadounidenses

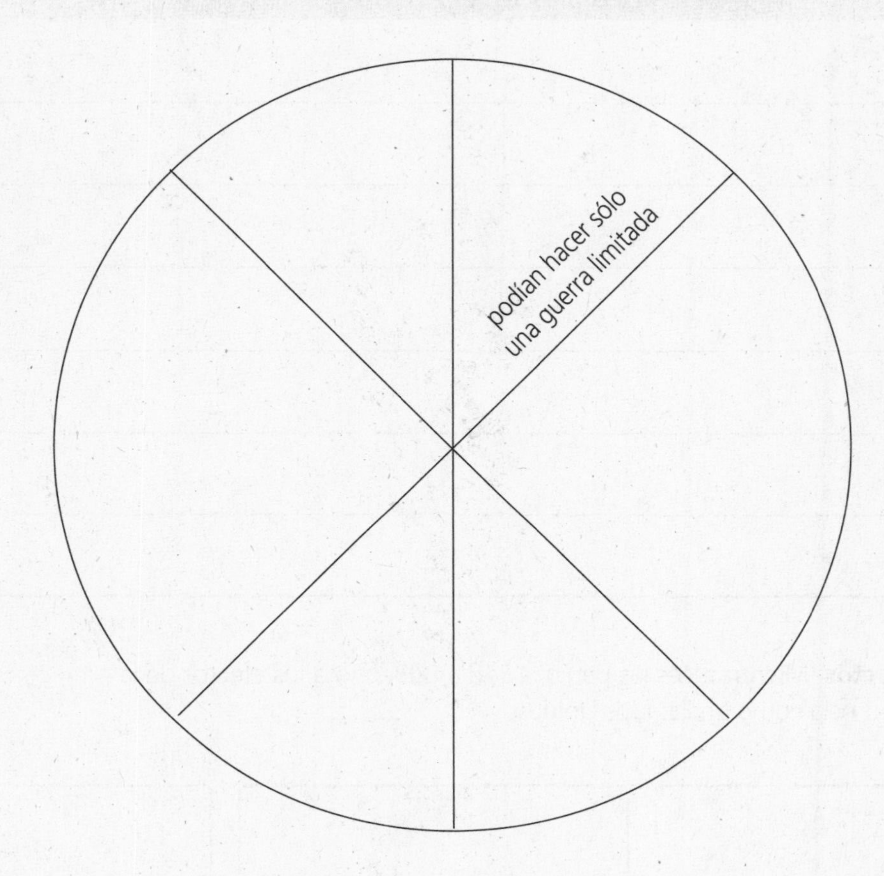

B. Reconocer efectos Mientras lees las páginas 842 a 845, anota cómo cada táctica de guerra que aparece en el cuadro afectó a los soldados o civiles vietnamitas y estadounidenses.

Táctica de guerra	Efectos en los vietnamitas	Efectos en los estadounidenses
1. napalm		
2. agente naranja		
3. misiones de búsqueda y destrucción		
4. ofensiva del Tet		
5. masacre de My Lai		

Copyright © McDougal Littell Inc.

Nombre ______________________ Fecha ______________

Lectura guiada

A. Analizar puntos de vista Mientras lees las páginas 846 a 848, anota las razones por las cuales los estadounidenses se opusieron a la guerra de Vietnam.

Razones para oponerse a la guerra

B. Reconocer efectos Mientras lees las páginas 848 a 849, anota los efectos de la guerra, tanto en Asia como en Estados Unidos.

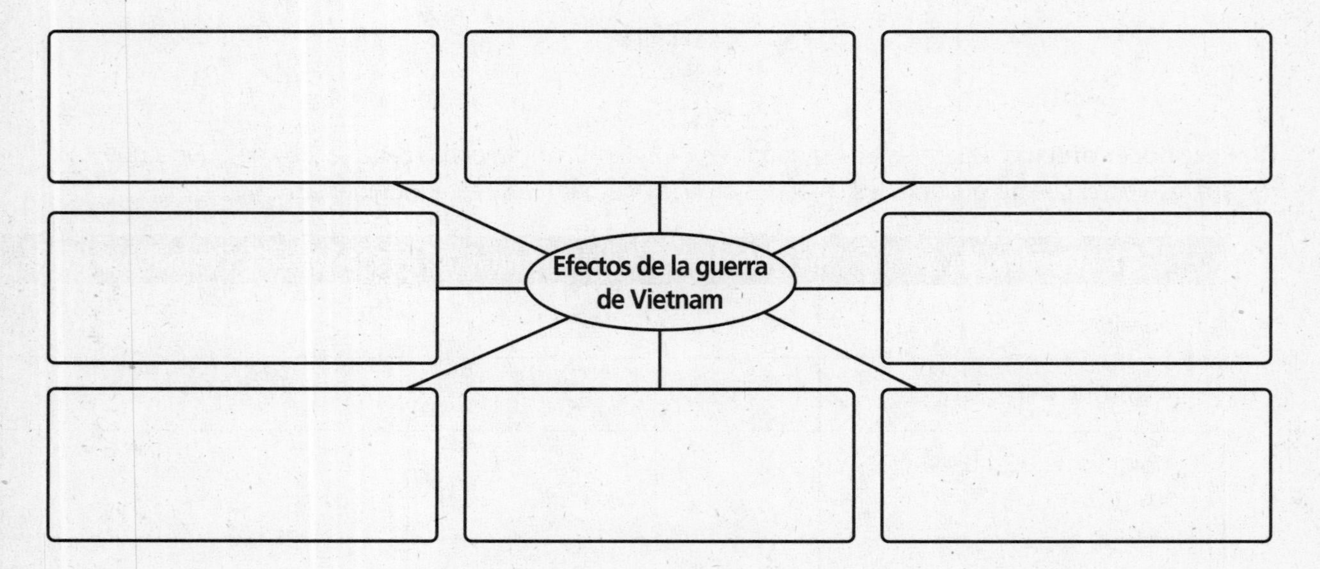

C. Sacar conclusiones En el reverso de esta hoja, escribe lo que te parece que habría pasado si en 1973 el presidente Nixon no hubiera retirado las tropas estadounidenses de Vietnam. Da razones que expliquen tus conclusiones.

Copyright © McDougal Littell Inc.

Nombre ______________________ Fecha ______________

Desarrollo de destrezas: Práctica

Desarrollar y apoyar opiniones

Desarrollar y apoyar opiniones significa que puedes interpretar y juzgar la importancia de los sucesos y las personas de la historia. El ejemplo siguiente incluye 12 enunciados acerca del bombardeo estadounidense de Camboya en 1969. Completa la tabla escribiendo en la columna debida las letras de los enunciados que apoyan cada respuesta. Luego escribe tu opinión en la última columna. (Mira el Manual del desarrollo de destrezas, página R16.)

A. Durante la guerra de Vietnam, Camboya era un país neutral. Estados Unidos había anunciado que iba a respetar esa neutralidad.

B. Vietnam del Norte le estaba mandando suministros a Vietnam del Sur a través de Camboya. Estos suministros se usaban para matar a soldados estadounidenses.

C. El bombardeo de Camboya ayudó a causar allí una sangrienta guerra civil. Esta guerra civil llevó a la toma del país por un brutal régimen comunista.

D. Los gobiernos democráticos no deben mantener secretos los sucesos importantes. No deben ni siquiera intentarlo, ya que los secretos son difíciles de guardar.

E. Bombardear a Camboya probablemente mataría a camboyanos civiles.

F. Si estuviesen enterados, algunos estadounidenses protestarían en contra del bombardeo. Algunos soldados sentían que las protestas dañaban la moral.

G. Los principales consejeros del presidente Nixon creían que el bombardeo iba a causar problemas diplomáticos, políticos o estratégicos.

H. Bombardear a Camboya iba a demostrar a Vietnam del Norte que Estados Unidos estaba listo para usar fuerza mayor. Esto los presionaría a negociar un arreglo.

I. La Constitución hace comandante en jefe de las fuerzas armadas al presidente. En el desempeño de estas funciones, el presidente puede ordenar ataques aéreos para conseguir objetivos militares.

J. A menudo la diplomacia resulta mejor en privado, alejada de la atención pública. Por ejemplo, para cuando estaba ocurriendo el bombardeo se estaban llevando a cabo en privado las negociaciones por la paz.

K. Otros países podrían quejarse si se enteraban de que Estados Unidos estaba bombardeando a Camboya.

L. Atacar abiertamente las rutas de suministro norvietnamitas en Camboya hubiera expuesto el hecho de que los vietnamitas del Norte estaban violando la neutralidad de ese país.

Pregunta	Si	No	Opinión
¿Estaba justificada la **decisión** de Nixon de bombardear a Camboya?			
¿Estaba justificado el hecho de que Nixon bombardeó a Camboya **secretamente**?			

Copyright © McDougal Littell Inc.

Aplicación geográfica

La caída de un pueblo vietnamita, 1965

En 1965 Duc Lap era un pueblo del sudoeste de Saigón (ahora Ciudad Ho Chi Minh). Era una colección de aldeas, o pequeños grupos de edificios. Muchas de las aldeas de Duc Lap tenían nombres individuales, como Chanh. Chanh era una típica aldea vietnamita. Lo que le pasó a Chanh tiene significado como ejemplo de lo que sufrieron tantas de las 12,500 aldeas vietnamitas semejantes. Chanh se transformó en modelo de frustración en el intento de defender un territorio donde el enemigo parece estar en todas partes a la misma vez.

En 1964 Chanh era autosuficiente y proveía servicios y suministros a sus habitantes. Estaba cerca de otras aldeas de Duc Lap y parecía segura detrás de las tres hileras de alambre de púa que la rodeaban. (Chanh tenía muchos habitantes que se habían visto forzados a trasladarse allí de otras aldeas.) Protección adicional para la gente de Chanh venía del gobierno de Vietnam del Sur. Estaba acuartelado allí un gran batallón de soldados del ERVN (Ejército de la República de Vietnam). Los aldeanos parecían estar a salvo.

Pero ni Chanh ni las otras aldeas de Duc Lap estaban a salvo. De vez en cuando el Vietcong se infiltraba en una de las aldeas y hacía volar los cercos y la clínica, la estación médica de la aldea. A veces también mataban soldados del ERVN y a los jefes de las aldeas. Con frecuencia los caminos de fuera de una aldea estaban minados.

Entonces, para fines de 1965 Chanh y todo Duc Lap sufrieron una serie de fatales ataques por fuerzas del Vietcong. (El mapa muestra la distribución física de Chanh durante los ataques.) Atacaron al cuartel del ERVN en Chanh en tres ocasiones diferentes.

A principios de 1966 se abandonó a Chanh y el resto de las aldeas de Duc Lap al Vietcong. La suerte corrida por Chanh anticipó la de tantas otras aldeas de Vietnam del Sur. La guerra de Vietnam todavía tenía muchos años por delante. Pero el patrón del éxito del Vietcong se estableció en pueblos como Duc Lap.

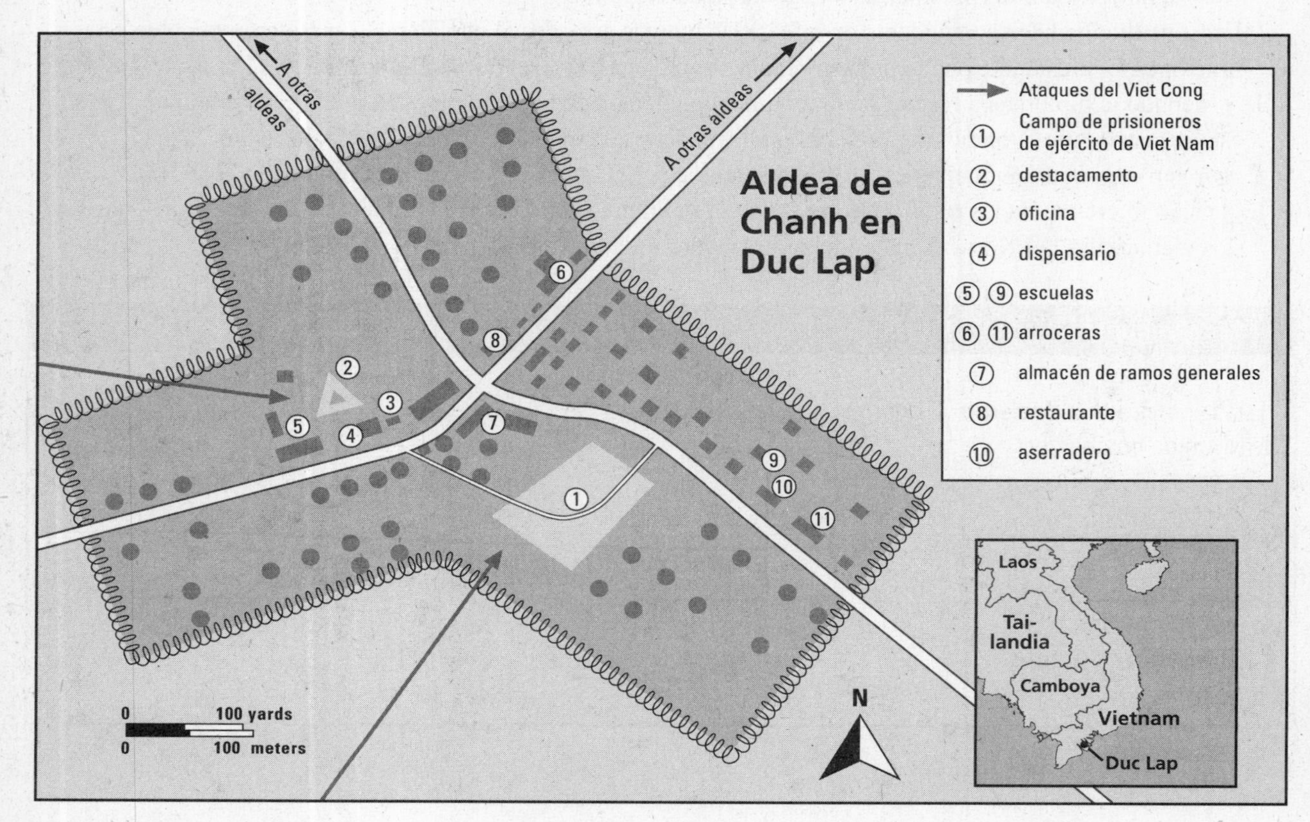

Copyright © McDougal Littell Inc.

Interpretar mapas y texto

1. ¿Dónde se encontraba la aldea de Chanh? Sé lo más específico posible.

 ____

 ____

2. ¿Cuál era la parte más importante de esta aldea?

 ____

 ¿Cuál era su función?

 ____

3. ¿Con qué te encontrarías si caminases por los caminos hacia el noreste o noroeste de Chanh?

 ____

4. ¿Cuáles parecen ser los objetivos de los ataques del Vietcong que se muestran en el mapa?

 ____

 ____

5. ¿Qué partes de la aldea se encontraban en dos lugares?

 ____

6. ¿Qué constituía las fronteras de Chanh?

 ____

 ¿Qué propósito tenía?

 ____

7. ¿Por qué te parece que la tienda de ramos generales y el restaurante estaban ubicados donde estaban?

 ____

 ____

Copyright © McDougal Littell Inc.

Nombre ______________________ Fecha ______________

Lectura guiada

A. Resolver problemas Mientras lees esta sección, rellena la segunda columna de la tabla siguiente con los detalles de cómo el presidente Nixon trató de resolver los problemas que enfrentó durante su gobierno.

Problemas	Las soluciones de Nixon
1. Tamaño y poder del gobierno federal	
2. Descontento civil	
3. Crisis económica	
4. Relaciones de Estados Unidos con China	
5. Relaciones de Estdos Unidos con la Unión Soviética	

B. Resumir En el reverso de esta hoja, explica brevemente la importancia de cada uno de los siguientes durante los años de Nixon.

Reparto de las rentas públicas Henry Kissinger distensión

Copyright © McDougal Littell Inc.

Nombre ______________________________ Fecha ______________

Lectura guiada

A. Organizar la secuencia de los sucesos Mientras lees esta sección sobre Watergate, contesta a las preguntas sobre la línea cronológica.

Línea cronológica (1972)	Preguntas
1972 **Junio** **Allanamiento de la oficina de la campaña demócrata** **Nov.** **Nixon gana la reelección**	1. ¿Cómo estaban conectados con el presidente Nixon los que allanaron Watergate?
1973 **Feb.** **El Senado comienza la investigación de Watergate** **Mar.** **Nixon aprueba dinero para comprar el silencio de los que allanaron Watergage**	2. ¿Que dijeron al Senado sobre Nixon los siguientes hombres: a. John Dean? b. un asesor de la Casa Blanca?
Oct. **Renuncia el vicepresidente Spiro Agnew** **1974** **Ene.** **El Comité Judicial de la Cámara abre sesiones investigativas sobre la imputación**	3. ¿Por qué se vio Agnew forzado a renunciar?
Jul. **El Comité Judicial de la Cámara vota a favor de la imputación** **Aug.** **Se hacen públicas las cintas sin editar**	4. ¿Qué votó el Comité Judicial respecto a la imputación?
El presidente Nixon dimite	5. ¿Qué pasó después de que demitió Nixon?

B. Reconocer efectos Al reverso de esta hoja explica brevemente cómo afectó el escándalo de Watergate a la nación.

Copyright © McDougal Littell Inc.

Nombre ______________________ Fecha ______________

Lectura guiada

A. Tomar notas Mientras lees sobre los presidentes Ford y Carter, toma notas para describir las políticas de cada uno hacia los problemas que confrontaban.

Problemas confrontados por Ford	Políticas
1. Finalizar el escándalo de Watergate	
2. Economía con problemas	
3. Relaciones con el Congreso	
4. Asia Sudoriental	
5. Tensiones de la guerra fría	

Problemas confrontados por Carter	Políticas
1. Desconfianza de los políticos	
2. Relaciones con el Congreso	
3. Crisis del combustible	
4. Economía con problemas	
5. Canal de Panamá	
6. Tensiones en el Oriente Medio	
7. Medio ambiente	
8. Crisis de rehenes de Irán	

B. Hacer deducciones En el reverso de esta hoja explica la importancia que tuvo el perdón de Nixon para la presidencia de Gerald Ford, y la importancia del fracaso de una liberación rápida de los rehenes en el caso de la presidencia de Jimmy Carter.

Copyright © McDougal Littell Inc.

Nombre ______________________________ Fecha ______________

Desarrollo de destrezas: Práctica

Sacar conclusiones

Sacar conclusiones significa analizar lo que has leído y desarrollar una opinión acerca de su significado. Lee el pasaje siguiente sobre los acuerdos de Camp David entre Egipto e Israel. Luego completa el diagrama que aparece más abajo escribiendo una conclusión y tres hechos del artículo que apoyen esa conclusión.

Desde el momento de su creación en 1948, el moderno país de Israel ha tenido conflictos con sus vecinos árabes. Estallaron guerras en 1948, 1956, 1967 y 1973. En la guerra de 1973 un masivo transporte de ayuda estadounidense ayudó a Israel a evitar una derrota desastrosa. Después de la guerra Anwar Sadat, el presidente egipcio, empezó a explorar maneras de resolver las diferencias con Israel. Pero hizo poco progreso. Ciertos grupos de cada país se oponían a cualquier arreglo con el otro lado.

En 1977 Jimmy Carter asumió la presidencia de Estados Unidos. Desarrolló una reputación como un honesto y fuerte patrocinador de los derechos humanos. Mediante sus acciones, como las negociaciones para devolver el canal de Panamá, Carter demostró una dedicación a la justicia que hizo que Sadat le tuviese confianza. Como líder de Estados Unidos, un amigo importante de Israel, Carter tenía un poco de influencia sobre la política de Israel.

Reconociendo que las negociaciones entre Egipto e Israel no estaban progresando mucho, Carter invitó a Sadat y a Menachem Begin, el primer ministro de Israel, a reunirse con él en Camp David, un retiro presidencial en Maryland.

En septiembre de 1978 llegaron a Camp David Sadat y Begin. Después de varios días de negociaciones, los tres líderes anunciaron que habían llegado a un arreglo básico para un acuerdo de paz. El tratado entre Egipto e Israel se firmó formalmente el 26 de marzo de 1979.

Uno de los beneficios de la paz fue un incremento en la ayuda de Estados Unidos. Para mediados de los años ochenta, cuarenta por ciento de la ayuda de Estados Unidos iba a estos dos países.

Conclusión:

Apoyo:

Apoyo:

Apoyo:

Copyright © McDougal Littell Inc.

Aplicación geográfica

La geografía del escándalo de Watergate

La expresión "escándalo de Watergate" involucra la política presidencial. La parte "escándalo" de la expresión se refiere al descrédito de la presidencia. Con el tiempo causó la renuncia de Nixon. Pero ¿de dónde viene la parte de "Watergate"?

"Watergate" es el nombre de un complejo, o agrupamiento, de modernistas edificios de oficinas y apartamentos, algunos con la forma de la letra "C". El complejo se encuentra en Washington, D.C., en la ribera del río Potomac. (El complejo toma su nombre de la cercana *Water Gate,* un grupo de escalones semicirculares al oeste del Monumento a Lincoln. Los escalones suben desde el río Potomac como una especie de entrada de la ribera a la ciudad.) Fue en el complejo de Watergate que en 1973 se detuvo a los intrusos contratados por la campaña republicana de reelección presidencial . Ellos habían allanado la sede democrática de sus rivales, que estaba en el complejo, para colocar micrófonos ocultos.

El FBI investigó el allanamiento. Luego la Casa Blanca se involucró directamente. Puso presión sobre el FBI para que abandonara la investigación. Esto le falló. Luego se descubrieron cintas secretas que había grabado Nixon en la Casa Blanca. Confirmaban su papel en el encubrimiento que se intentó hacer. Como resultado, el Comité Judicial de la Cámara de Diputados recomendó que se inhabilitara a Nixon. En 1974, para evitar tal juicio, Nixon dimitió. Todo este drama tuvo lugar en la comparativamente pequeña área que se muestra en el mapa siguiente.

Hoy la palabra "Watergate" se halla en los diccionarios. Se ha convertido en sinónimo del abuso del poder por los funcionarios públicos. "Watergate" también ha producido el sufijo *gate*. Cuando se agrega este sufijo al final de otra palabra se refiere a un escándalo que ha resultado de la corrupción y el encubrimiento. Por ejemplo, en 1986 se creó la palabra "Irángate". Se refiere al encubrimiento por el gobierno de ventas ilegales de armas a Irán.

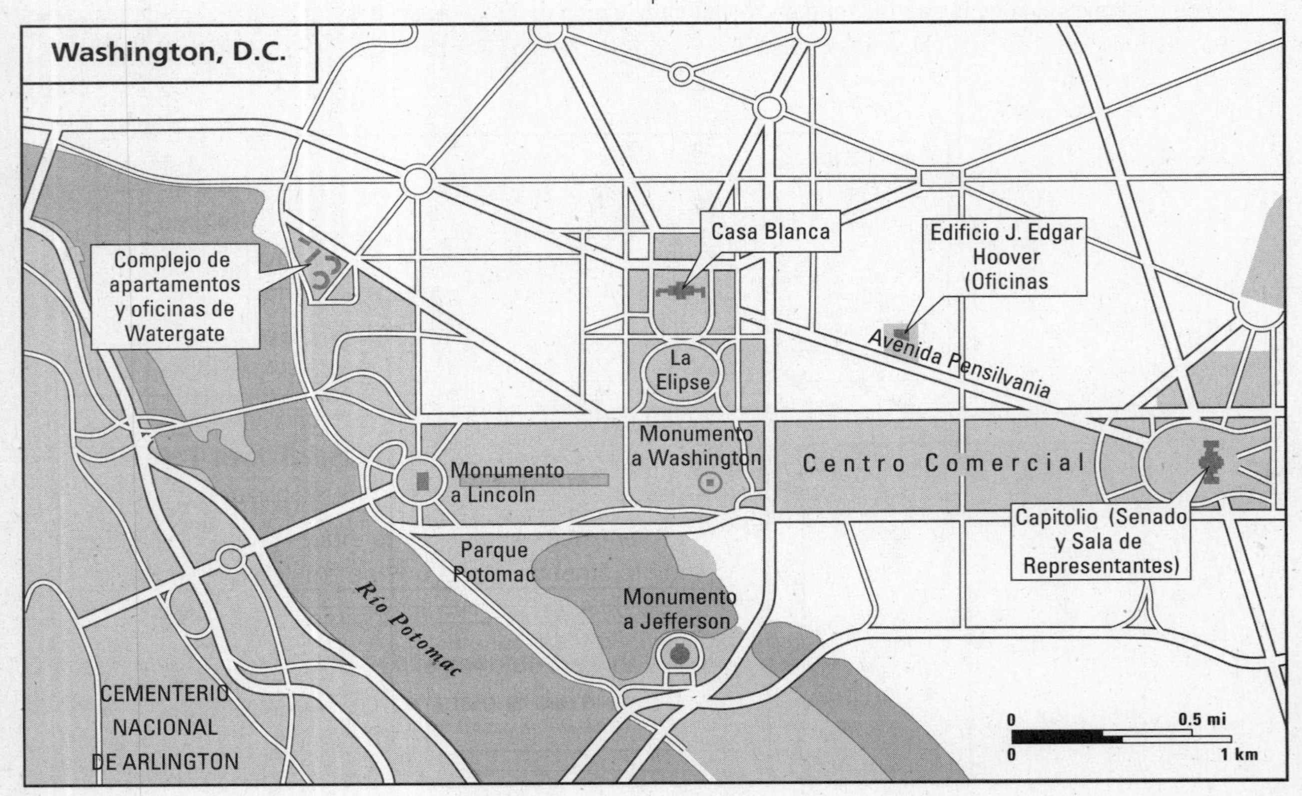

Copyright © McDougal Littell Inc.

Interpretar mapas y texto

1. ¿Qué es el complejo de Watergate?

   ____

   ____

   ¿Dónde está?

   ____

2. Da una breve descripción del escándalo de Wategate.

   ____

   ____

   ____

   ____

3. ¿Cuáles son los cuatro sitios principales de la historia del escándalo de Watergate como se encuentran en el mapa de la página anterior?

   ____

   ____

4. ¿Aproximadamente a qué distancia está el complejo de Watergate de la Casa Blanca?

   ____

   ¿Aproximadamente a qué distancia está el complejo de Watergate del Capitolio?

   ____

5. ¿Qué parte de la historia de Watergate se llevó a cabo en el Capitolio?

   ____

   ____

   ____

6. ¿Qué es simbólico respecto a la ubicación de la Casa Blanca durante los sucesos de Watergate?

   ____

   ____

   ____

7. Usa la sección de palabra "-gate" para producir una palabra que no sea "Watergate" y que te parezca que sería adecuada para identificar este escándalo.

   ____

Copyright © McDougal Littell Inc.

Nombre ______________________ Fecha ______________

Lectura guiada

A. Resumir Toma notas sobre los sucesos importantes de las presidencias de Reagan, Bush y Clinton, contestando las preguntas siguientes.

La presidencia de Reagan
1. ¿Cuáles fueron los objetivos conservadores de Reagan?
2. ¿Qué fue el asunto Irán-Contra?

La presidencia de Bush
3. ¿Que sucedió en los asuntos extranjeros durante el mandato de Bush?

La presidencia de Clinton
4. ¿Qué leyes o programas logró hacer pasar Clinton?
5. ¿Por qué se inhabilitó a Clinton y qué pasó en el juicio del Senado?

Copyright © McDougal Littell Inc.

B. Hallar ideas principales En el reverso de esta hoja explica los términos siguientes.

economía de la oferta guerra del Golfo Pérsico TLC

Nombre ______________________ Fecha ______________

Lectura guiada

A. Analizar causas y reconocer efectos Mientras lees sobre los cambios de la tecnología y la economía, completa la tabla anotando la causa o el efecto.

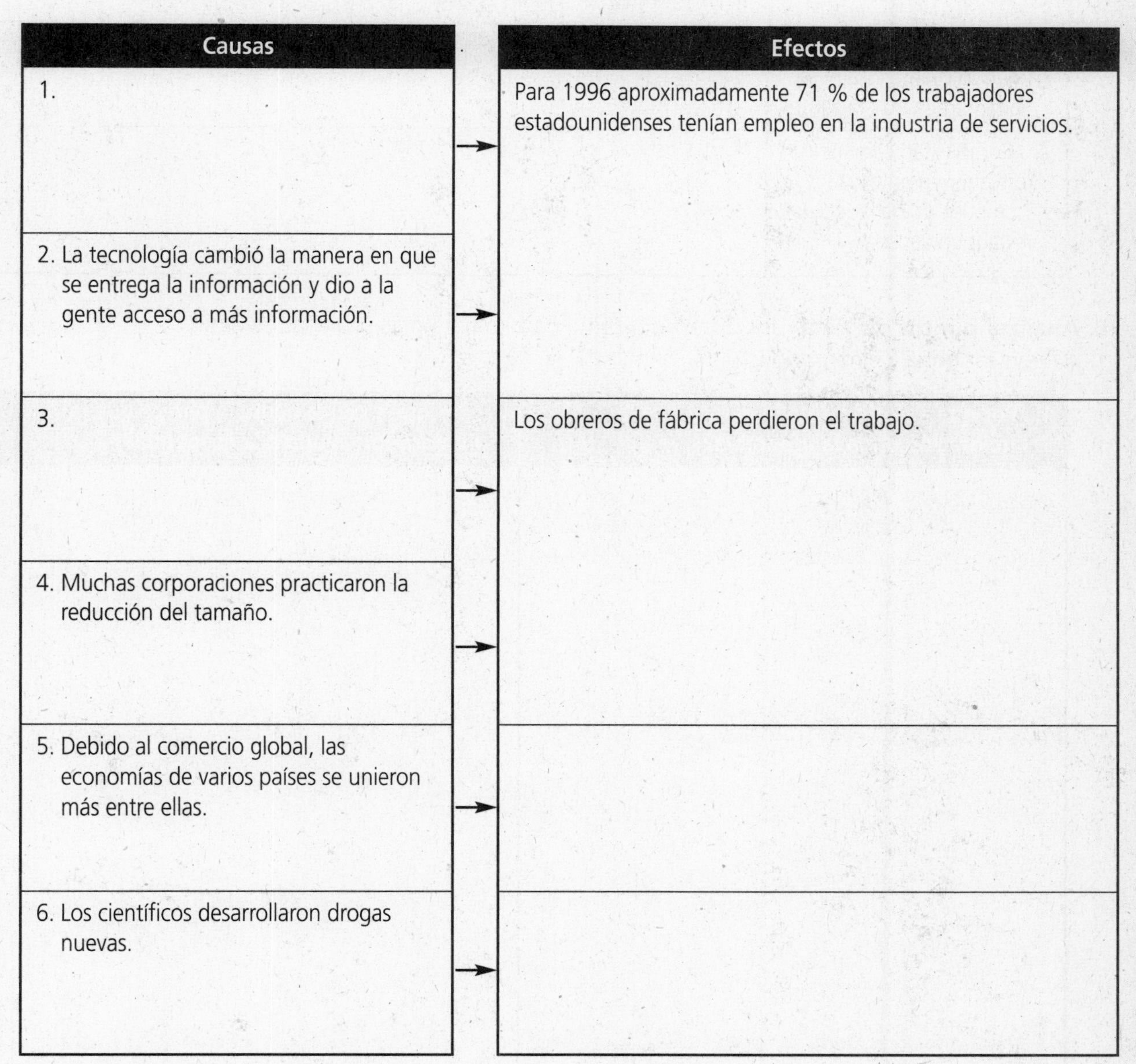

Causas		Efectos
1.	→	Para 1996 aproximadamente 71 % de los trabajadores estadounidenses tenían empleo en la industria de servicios.
2. La tecnología cambió la manera en que se entrega la información y dio a la gente acceso a más información.	→	
3.	→	Los obreros de fábrica perdieron el trabajo.
4. Muchas corporaciones practicaron la reducción del tamaño.	→	
5. Debido al comercio global, las economías de varios países se unieron más entre ellas.	→	
6. Los científicos desarrollaron drogas nuevas.	→	

B. Hallar ideas principales En el reverso de esta hoja, define los términos siguientes.

comercio-e economía de servicios revolución de la información

Copyright © McDougal Littell Inc.

Nombre ______________________ Fecha ______________

Lectura guiada

A. Reconocer efectos Mientras lees esta sección, contesta a las preguntas siguientes sobre la manera en que la inmigración está cambiando a Estados Unidos.

1. ¿De qué dos áreas del mundo vinieron los inmigrantes más recientes?	
2. ¿Cómo están cambiando estos inmigrantes la composición de la sociedad estadounidense?	

B. Analizar puntos de vista Usa la tabla siguiente para tomar notas sobre las vistas diferentes sobre la inmigración.

1. ¿Por qué a cierta gente le parece que la inmigración daña la economía?	2. ¿Por qué a cierta gente le parece que la inmigración ayuda a la economía?

C. Hallar ideas principales En el reverso de esta hoja, identifica el término siguiente.
ley de Reforma y Control de la Inmigración de 1986

Copyright © McDougal Littell Inc.

Nombre ______________________________ Fecha ______________

Desarrollo de destrezas: Práctica

Evaluar

Evaluar significa que estás pasando juicio sobre algo. En la tabla siguiente enumera algunas de las acciones y políticas de los presidentes Reagan, Bush y Clinton. Para hallar esta información, usa tu libro de texto, la enciclopedia o Internet. Luego evalúa a cada presidente y dale una nota total —A, B, C o D— y explica por qué. (Mira el Manual del desarrollo de destrezas, página R18.)

1. **Política interna:** La política interna incluye todas las políticas y programas que enfocan a la gente que vive dentro de Estados Unidos. Los asuntos principales incluyen el presupuesto nacional, los derechos y las responsabilidades individuales, el control de las armas, las relaciones raciales y las preocupaciones sobre el medio ambiente.
2. **Política exterior:** La política exterior incluye todas la relaciones con otros países. Los asuntos principales incluyen el comercio, el uso de las fuerzas armadas y la participación en la Organización de las Naciones Unidas.
3. **Liderato:** El liderato incluye todos los aspectos del papel del presidente como el funcionario elegido más poderoso del país. Los asuntos principales incluyen los nombramientos —como a quiénes elige como miembros de su gabinete, y las nominaciones judiciales—, la habilidad inspiracional y el tono moral.

Presidente	Política interior	Política exterior	Liderato	Nota total	Explicación
Ronald Reagan					
George Bush					
Bill Clinton					

Copyright © McDougal Littell Inc.

Nombre ______________________ Fecha ______________

Aplicación geográfica

El comercio de Estados Unidos, 1995

La economía global actual encuentra a más países que nunca unidos mediante la compra y venta de productos. A menudo Estados Unidos está en el centro de esta muy competitiva y compleja actividad.

Las principales exportaciones estadounidenses incluyen máquinas de oficina, vehículos para caminos, equipo de transporte, maquinarias eléctricas, maquinaria industrial general y teléfonos y otro equipo de telecomunicaciones. Por otra parte, Estados Unidos importa grandes cantidades de automóbiles, computadoras y accesorios de computadoras, maquinarias eléctricas, petróleo, ropa, máquinas de oficina y juguetes.

Globalmente el valor de todas las importaciones es igual al de las exportaciones. Pero en términos de los países individuales, hay desequilibrios. Algunos países exportan más de lo que importan. Estos países generalmente consideran esa situación un saldo comercial "favorable". Los países que importan más de lo que exportan tienen un déficit, o pérdida.

Desde aproximadamente 1900 hasta comienzos de los años ochenta, Estados Unidos tuvo un saldo comercial favorable. Vendía al resto del mundo más de lo que compraba. Esto creó un excedente en el saldo de pagos. Pero desde entonces ha sucedido lo contrario. Estados Unidos ha desarrollado un gran apetito por los productos importados, apetito que crece constantemente. Ahora rutinariamente importa más de lo que exporta. Esto produce un déficit en el saldo de pagos de Estados Unidos.

Se aguanta este desequilibrio porque esos países extranjeros no se quedan con los dólares estadounidenses. Los vuelven a invertir en bienes de Estados Unidos, como acciones y bonos. Para fines del año 1999, los extranjeros poseían $2 billones más de bienes estadounidenses de lo que los estadounidenses y las empresas estadounidenses poseían de bienes extranjeros. Esto significa que los extranjeros son dueños de un 22% de la producción de Estados Unidos.

El mapa siguiente muestra las exportaciones e importaciones de los Estados Unidos en 1955. Estas cantidades están divididas en regiones del mundo.

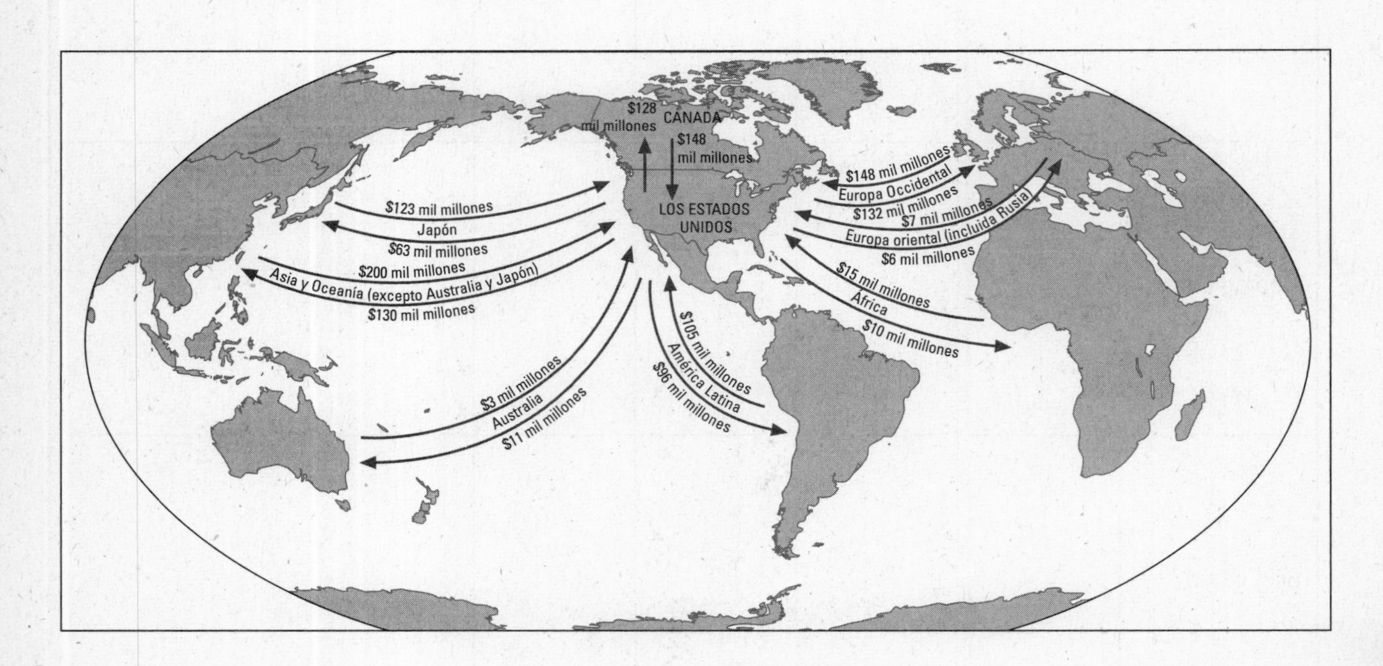

Copyright © McDougal Littell Inc.

Interpretar mapas y texto

1. ¿Cuál fue el valor total de las exportaciones de Estados Unidos en 1995?

   ___

   ¿de las importaciones en 1995?

   ___

2. En 1995, ¿cuál fue el valor del excedente o déficit de Estados Unidos en el comercio internacional?

   ___

3. En 1995, ¿bienes por valor de cuántos dólares exportó Estados Unidos a Latinoamérica?,

   ___

   ¿a Japón?

   ___

4. ¿Con qué región del mundo tuvo Estados Unidos un excedente comercial favorable?

   ___

5. ¿Con qué región del mundo estuvo el intercambio comercial de Estados Unidos casi en equilibrio?

   ___

6. ¿Con qué parte del mundo tuvo Estados Unidos un déficit comercial de casi 2 a 1?

   ___

7. En dólares, ¿en qué área fue mayor el déficit de Estados Unidos?

   ___

8. ¿Como compararías las economías de la Europa oriental y la Europa occidental basándote en su intercambio comercial con Estados Unidos?

   ___

   ___

9. En términos de un sólo país, ¿cuál es el que mayor intercambio comercial, de importación y exportación, tiene con Estados Unidos?

   ___

Copyright © McDougal Littell Inc.